有斐閣新書

スミス国富論入門

星野彰男・和田重司・山崎怜 著

はしがき

『国富論』が政治経済学の古典中の古典であるのは、広く知られています。それは経済学史上、一九世紀以降に分化したあらゆる学派の源流です。マルクス経済学もその例外ではありませんし、いわゆる近代経済学もまたそうです。すべての学説は、多かれ少なかれスミスを素材にして、それを批判したり仕上げたりすることをとおして発展してきたといっても過言ではありません。

しかし政治経済学の原型としての『国富論』は、ただの経済理論として誕生したのではありません。それは、当時の人文学や社会諸科学についての広範な考察を母胎にして、生みおとされています。スミス自身が『道徳情操論』を書いたり、文学や法学の講義をしているほどです。ですから『国富論』は、人文学や法学への深いつながりをもって書かれています。それは、諸財貨のたんなる数量的関係を、いわば即物的に問題にしているのではありません。諸財貨の生産と交換の機構分析が、近代社会の市民相互の道徳観や法感覚と結びつけられていますし、その規範的なあり方とも関連づけられています。このように『国富論』が人文学や社会科学に結びつけられており、それが理論の書であると同時に思想の書である点は『国富論』のひとつの大きな特質です。この点には本書でも序章以降たえず気を配りました。

また『国富論』は、近代市民社会の経済的機構を理論的に分析しているだけでなく、この機構が、封建制をきりくずしながらどのような曲折をへて成立したかという、歴史分析を含んでいます。さらに『国富論』は、こうした経済的機構が、国際平和の維持と生産力の発展と富裕の国民大衆への全般化とを達成するうえで、どのような法や貿易政策や財政政策をもたなければならないかを、考察しています。すなわち、法や政策の体系としての国家のあり方を考えているのです。こうして『国富論』の全五篇は、いわゆる理論と歴史と政策を総合的に体系化した古典です。それは、政治経済学が本来論じなければならないはずの全分野を、古典的な形で体系化したものです。それは、近代市民社会の政治経済の総体的な機構を体系的に解明した、ひとつの古典的な見本です。私たちはその論理の組立てについても、第I章以降の諸章で明らかにしようと努めました。

一九世紀以降、右の理論と歴史と政策を分化させ、思想的・政策的考察と理論的分析を分離させようという動きがでてきました。それだけに各分野で緻密化が進みましたが、本来相互規定的に連関するはずの各分野が、細分化されバラバラにされる弊害もでてきました。『国富論』出版二〇〇年を記念して、近年、欧米諸国で新しいスミス研究がさかんに出版されていますが、このことは、政治経済学の原像にたちかえっての、右の細分化と視野狭窄に対する反省が試みられているからにほかなりません。二〇〇年をへた今日、なおこうした反省材料を提供してやまない点に、『国富論』の古典たるゆえんがあるのでしょう。

日本ではスミス研究はとりわけ盛んですし、また盛んでした。それは、以上の事情に加えて、わが国ではスミス研究が特別の社会的必要に裏づけられていたからです。スミスの思想と学説は、封建遺制を克服して近代市民社会を形成しようとの熾烈な意図につらぬかれています。ところで

はしがき

日本では、なかば封建的ともいわれる軍国主義のもとで、これと同じ闘いが必要でしたし、今でも人びとのさまざまな生活場面で、後進性の克服は必ずしも完結していません。だから日本では特別の関心がスミスに寄せられてきたのです。しかしそれだけに、イギリス近代市民社会思想の原型であるスミスには、学ぶべきものがあると同時に、乗りこえなければならない面もあることを見きわめるのも、大事なことでしょう。私たちはできるだけ素直に原典に即して、そのいわばポジティブな面もネガティブな面も、ともに公平に浮き彫りにしようと努めました。

私たちは、読者が、政治経済学の本来の姿容を理解されることによって、政治経済学がどうでなければならないかについて想いをはせていただきたいと考えると同時に、イギリス市民社会思想の原像の両面を、正当に、また公平にふまえてくださるよう念願しています。

最後に本書作成にあたって、準備段階からさまざまな御苦労をいただいた、編集部の伊東晋さんに心から感謝します。

一九七七年一〇月

星野彰男
和田重司
山崎怜

目次

目　次

序章　アダム・スミスの思想と時代

カコーディのアダム・スミス小路（上）と住居あとを示すプレート（下）

1　近代自然法とスミス

▼二つのスミス論

アダム・スミスの『国富論』（または『諸国民の富』）を理解するのに二つの有力な見方があります。ひとつを思想史的な接近と呼ぶならば、他方は、政策論的な方法ということができます。スミスの著作は、『国富論』のほかは『道徳情操論』（または『道徳感情論』）だけですが、この両著に示されたスミスの全体像をその思想史上の先駆者をふくめて明らかにしようとするのが第一の見方です。それに対して、『国富論』を今から二〇〇年以上前の当時の状況のなかに位置づけ、経済政策や産業構造のあり方とそれを支える理論の歴史の文脈のなかで『国富論』の意味を理解しようとするのが第二の見方です。

この第二の方法が『国富論』を理解する正道であることはいうまでもありませんが、同時に、第一の見方を無視するわけにはいきません。とくに日本では、第二次大戦下の抵抗精神の一つのあり方として西欧市民社会の探究がいく人かの社会科学者を中心に行なわれ、スミス研究もその一環をなしてきました。そしてそれは戦後日本の上すべりな高度成長のあり方への批判意識として継承されてきましたが、最近は、欧米においても戦後の成長を支えてきた理論と思想が破綻を来たしつつあるなかで、この第一の見方が有力になりつつあります。もちろん、日本と欧米とでは、その中身はかなり違いますが、スミスの道徳哲学体系から『国富論』だけを切り離してしまうことは許されないというかぎりで、共通の認識に立っているといえるでしょう。そこで、この序章では、第一の見方に重点を置いて、スミスの全体像のスケッチを描いてみることにします。第二の見方については、第一章以下でおのずと触れることになります。

▼アダム・スミス問題

アダム・スミス（一七二三〜九〇年）の著書は先の二つだけですが、その両著の中間に位置するのが、グラスゴウ大学における『法学講義』（学生の受講ノート）です。スミスは『道徳情操論』（一七五九年）の末尾で、次に自然法の探究を行なうと公言していましたが、実際に刊行されたものは『国富論』（一七七六年）だけにとどまってしまいました。スミスは終生、法学研究をあきらめなかったのですが、初期の『哲学論文集』を除くいっさいのノート類を、永眠する数日前に、目の届くところで焼却させてしまったために、二つの著作の関係が自然法を介してどうつながるのかということが十分に理解されずにいました。

そのため一九世紀後半のドイツでは、倫理学者スミスと経済学者スミスとは矛盾するといういわゆる「アダム・スミス問題」が盛んに議論されたりしました。そこでは、個人の利己心に信頼を置く『国富論』よりは、人道的な『道徳情操論』の方が、社会政策の論拠として評価され、後進的なドイツの政治経済体制に密着する立場からの『国富論』批判が行なわれたわけです。

ちょうどそのさなか（一八九六年）に、先の『法学講義』が公刊され、その後半で『国富論』の原型に相当する経済論が述べられていたのです。したがって、人道的な倫理学と利己心の自由放任を説く経済学が矛盾するという見方が当たらないことが実証されてしまいました。もっとも、スミスは、『道徳情操論』第六版（一七九〇年）で約七分の二に相当する増補と、かなりの削除を『国富論』刊行後に行なっており、その改訂版によっても基本原理はなんら修正されなかったのですから、スミスの両著が矛盾していなかったことは、『法学講義』が発見されなくても明らかなはずだったのです。このような「アダム・スミス問題」の経過を踏まえて、二〇世紀初頭のドイツで、マックス・ウェーバーは倫理と経済の関係を市民社会の歴史のなかで究める論著を世に問うたのです。

▼『新版法学講義』の特徴

先の『法学講義』に次いで新たにより詳細な（約四倍）学生の受講ノートが発見され、『グラスゴウ版スミス全集』第五巻として刊行されることになりました。この新版を先の旧版とくらべると、新版では一七六二年から六三年にかけて日付が明記されていますが、旧版では日付がなく、しかも内容が異なるところもあるために、旧版の講義は一七六三年から六四年にかけて行なわれたものと推定されています。ただし、スミスは一七六四年早々にグラスゴウ大学教授をやめてバックルー侯の付添い家庭教師（終身年金つき）としてフランスに渡りましたので、旧版の最後の部分については実際の受講ノートか否か疑問があるとみなされています。

新版では、約六分の五が狭義の法学に当てられ、残りの約六分の一が行政その他で、その中身はほとんど経済論で占められています。旧版では、法と経済が半々であり、しかも新・旧版とも経済論の部分は量的に大差ありませんから、新版の法学部分が旧版よりかなり詳しいといえます。しかも、新版では、私法・家族法・公法の順に展開されているのに対して、旧版では、公法と私法が入れ替わっています。新版がスミスの師ハチスンの順序と合致していることからみて、旧版は新版の翌年になされた講義であることは確実ですが、なぜその順序が入れ替わったかは定かでありません。新旧版ともその法学部分のほとんどは法制史に当てられています。

スミスは、この講義（旧版）の冒頭でグロチウスとホッブズとプフェンドルフの自然法の特徴を述べています。とくに、グロチウスについては、『道徳情操論』の末尾でも自然法の探究者としてただ一人あげられているところからみて、この時期のスミスは自然法探究の先駆者としてのこれらの人々から多くを学びつつあったと思われます。また、実際にスミスは、グラスゴウ大学の学生時代に、ハチスンのもとでグロチウスやプフェンドルフの著作をテキストとして学んでいたのです。

グロチウス

▼自然法と奴隷制

スミスは師ハチスンから『法学講義』の枠組みや『国富論』第一篇の組立てを受け継いでいますが、ハチスン自身はその師カーマイケルをつうじてプフェンドルフの体系から多くを学ん

ルソー

だといわれています。そしてプフェンドルフはグロチウスに傾倒していましたし、また、ハチスンやスミスもその両者を一体と考えていましたから、『国富論』の一源泉はここから発したとみなしても間違いではありません。

グロチウスはオランダに生まれ、近代自然法の父と呼ばれており、主著『戦争と平和の法』（一六二五年）は所有論を基礎にした国際法を主題としています。プフェンドルフは、ドイツに生まれ、大著『自然法と国際法』（一六七二年）のなかで、道徳論、貨幣・価格論等も展開しています。この両者がLaw of Nations〈英訳〉（国際法または万民法）を主題としていたことが、スミスのWealth of Nations（『諸国民の富』または『国富論』）に受けとめられたといえるでしょう。

スミスと同時代人であるジュネーヴ生まれのルソーは、『社会契約論』（一七六二年）の冒頭部分から再三にわたりグロチウスを痛烈に批判しています。その理由は、グロチウスがローマ法を典拠としているなかで奴隷制を事実の上で容認しているとみなされたからです。ルソーの奴隷制批判は、旧制度下に置かれていたフランス人民が奴隷状態にあることを告発することにその狙いがありました。その意味で、それはフランス革命（一七八九年）に先立つ啓蒙思想として画期的な意義を有しています。ところが、そのルソーですら、当時すでに行なわれていたカリブ海西インド諸島における砂糖やタバコ栽培のための奴隷制とそれをもたらしたアフリカ西沿岸からの奴隷貿易については無批判であるばかりか、風土の違いを理由にそれを容認したモンテスキュー『法の精神』(一七四八年)の観点をはっきりと受け容れてさえいます。これに類する人種的偏見は、一九世紀初頭フランスの空想的社会主義者といわれるフーリエにすら見出されます。その意味では、ルソーのグロチウス批判も歴史的制約を免れません。

▼政治経済学の視点

当時、奴隷貿易を行なっていたのは、イギリスやフランスの貿易業者でした。そしてその巨額の利益は、たとえば、イギリスの港都リヴァプールなどをつうじて産業革命のための資本の一部とされていったのです。スミスがこのような業者を念頭に置いて「重商主義」を批判したことはほぼまちがいありません。当時、奴隷貿易を公然と批判した人はスミスのほか、タッカーぐらいしかいなかったということは、いかにそのことが困難かつ危険であったかを物語るものでしょう。そのためか、スミスの批判もきわめて控え目なものでした。ただ『道徳情操論』第五部でほんの数行ですが、ヨーロッパ人のアフリカ西沿岸地帯における黒人奴隷狩りを人類史上最悪の残忍さであるとさりげなく批判しています。そして『国富論』における第三国間の仲継貿易への資本投下に対するもっとも手きびしい批判を合わせ考えれば、おのずとそこに奴隷貿易批判が浮かび上がってくるはずです。

ホッブズ

スミスは『国富論』第三篇で、西インド諸島における奴隷所有主の「高慢《プライド》」が経費のかからぬ自由人より奴隷を使うことを好ませるのだ、と書いています。プライドには「誇り」という意味合いもありますが、これを誇りと訳してしまうと肯定的になってしまいます。このプライドという一語にも思想史の文脈があって一筋縄ではいかないのです。たとえば、ホッブズの『リヴァイアサン』(一六五一年)によれば、「第九の自然法として、各人は他人を生まれながらに等しい者と認めること、をおく。この戒律に反することは、高慢《プライド》である」とされているように、プライドはまったく否定的な意味で用いられているのです。そしてスミス自身も『道徳情操論』第六版増補(一七九〇年)のなかで、それを悪徳と規定して批判的に検討しています。『国富論』では、ほかにも植民地を領有するイギリス国民の「プライド」という指摘もありますが、これを「誇り」と訳すか「高慢」とみなすかによって意味合いが正反対になってしまいます。これらは、ほんの一例にすぎませんが、このようなところにグロチウス、ホッブズ、ルソーなどの自然法思想と『国富論』との接点を見出すことができるのです。

2　市民社会思想の形成

▼近代自然法と個人

スミスは、『道徳情操論』の末尾で決疑論を批判しています。それはカトリック教会のなかでざんげに答える教義の集積されたものとされていますが、そのような文章化された回答集のようなものが無数の事例に妥当する模範解答をすべて盛り込むことは絶対に不可能であり、それと似たことは法律論にも当てはまるという趣旨のことをスミスは述べています。法律のばあい、文章化された条項そのものは「実定法」と呼ばれますが、この実定法がいったん制定されても、それがいつまでも正しいとはかぎりません。それは時代とともに絶えず修正され、補充されてきましたし、また、国によってその内容もかなり異なります。それでは、何が正しいかを判断する論拠はどこに求められるのでしょうか。スミスは、それが「自然法」にほかならないとみなします。

　スミスの著作を意識して読むと、さかんに「自然《ネイチャー》」という言葉が用いられていることに気付きます。それは「自然的な《ナチュラル》」とか「自然に《ナチュラリー》」というように、形容詞や副詞として用いられているばあいもふくみますが、その底には一七・一八世紀に固有の近代自然法の見方があったのです。先のグロチウスやホッブズのほかにロックやルソーも自然法を究めた代表的な人物です。そこに共通する見方は、個々の道徳、法律、政治形態などのあり方を貫く普遍的な原理・原則があるにちがいないという主張です。それらのひとつの論点は、所有権というものをいかに基礎づけるかということであり、もうひとつの主要論点は、政治権力のあるべき姿を描き出すということです。とくに、それらが中世の自然法と区別されるのは、ルネサンスや宗教改革の洗礼を受け、市民革命の時代を迎えていた当時の西ヨーロッパ北部において、何ものにも侵されぬ個人の自然権を、あるいは国民の独立を基本原理に設定していたことです。

▼社会契約と国家

スミスは、このような自然法を実現すべき人間の行動を正義と名づけていますが、この正義には二種類あるとされています。ひとつは交換的正義であり、他のひとつは分配的正義です。この区別は古代のアリストテレスが行なったものですが、グロチウス以来の近代自然法においてもこの区別が受け継がれます。この区別を単純化していうと、交換的正義とは、対等な人間関係や交換関係における正義のことであり、分配的正義とは、政治家と人民、あるいは裁判官と被告というように、ある一定の権限を有する者と有しない者との関係における正義のことです。前者をヨコの関係とすれば、後者はタテの関係といえるでしょう。後者をまったく無視ないし否定するとユートピア思想やアナーキズム思想となりますが、近代自然法では、前者を基本原理としながら後者の解明を主題としたところにその特徴があります。逆に前者のヨコの関係を無視すると、前近代的な思想にとどまってしまいます。その意味で、近代自然法思想は、対等・平等なヨコの人間関係を力強く表明しつつ、タテの関係のあり方を探究したところにその共通性があります。もちろん、その説き方は、グロチウス、ホッブズ、ロック、ルソーをくらべてもかなり異なります。そしてスミスの自然法思想もこのような文脈のなかに位置づけることができます。

グロチウスは、諸国民の自立を前提にした国際関係のあり方を究め、その根幹に所有論を設定したのです。この所有のあり方に伴う戦争という問題を諸個人間に置き換えたのがホッブズであり、その争いを防ぐための社会契約に基づく国家論を展開しました。ロックはさらに所有の根拠は労働にあるとみなし、財貨の豊かさが平和状態を可能にすると述べ、人民の自然権を守らない政治に対しては、人民の革命権があることをはっきりと主張しました。ルソーは、ホッブズに近い枠組みのなかでこの革命権の思想を盛り込んだのです。

▼スコットランド啓蒙思想

このような考えは、革命以前の旧制度下にあるフランスでは危険視されましたから、ルソーは迫害を受け、著書発行を停止されたりしますが、一世紀早く市民革命を達成したイギリスでは、名誉革命体制が定着しており、その枠の中でよりよく改善することが思想史の特徴をなしていきます。ところが、このイギリスのなかでも、北方のスコットランドで活発な文芸がおこってきます。スミスは、グラスゴウ大学を卒業したのち六年間イングランドのオックスフォード大学に国内留学しましたが、『国富論』第五篇のなかで当時のオックスフォード大学では教授は教えるふりすらしていないと痛烈に批判しています。また、同時代人の歴史家ギボンも同大学の沈滞を公然と批判しています。

ヒューム

ここに象徴されるように、一八世紀中葉イングランドの文化は低迷していたのに対して、スコットランドでは優れた著作が続々と刊行されました。その先覚者はハチスンとヒュームです。いずれも道徳哲学を基本にしていますが、とくにヒュームは政治経済論や『イングランド史』を刊行してスコットランド歴史学派を形成していきます。ここに経験的・歴史的事実を重んずる学風がおこってきましたが、同様な傾向は、フランスのヴォルテール、モンテスキュー、チュルゴーなどにも先駆的にうかがわれます。ともに歴史の進歩を見究めようとしたところに共通性があるために、ルソーやスミスも含めて一八世紀の啓蒙思想と呼ばれています。スコットランドでは、ケイムズ卿、ファーガスン、ミラーなどがおり、スチュアートの重商主義経済学もその一端に位置しています。

▼文明論と経済思想——マンデヴィルの問題提起

一八世紀の思想状況のなかで、もうひとつ無視できないのは、マンデヴィルの『蜂の寓話』

『蜂の寓話』の一節（上田辰之助訳）

全体のうちの最悪のものでさえ
共同の利益のために多少とも役だつようになった。
治国の道とはこうしたもので
部分は不平不満をならべても
全体はりっぱに治まっていく。
ちょうど音楽にも全曲の調和があり
雑音を基調にあわすように
正反対の敵味方さえも
いわば悪意からおたがいに助けあう。
節欲と禁酒とがつれだって
飲み食いの道楽に奉仕する。
悪の根という貪欲こそは
あの呪われた邪曲有害の悪徳。
それが濫費という尊い罪悪の奴隷になり
奢侈が百万の貧者に仕事をあたえ
いまわしい鼻もちならぬ傲慢が
もう百万人を雇うとき
羨望さえも、そして虚栄心もまた
みな産業の奉仕者である。

（一七一四〜二八年）がひきおこした波紋です。それは文明を鋭く風刺した詩とそれに付した長文の注釈などから成っており、副題として「私悪は公益なり」という句を掲げています。私悪とは利己心の現われとしての高慢《プライド》や虚栄心を指しており、それらが節制を説く禁欲的美徳よりも、人間本性に合致しているばかりか、政治制度や経済活動もそれらの私悪が抑制されれば成り立たないのだから、それらも公益にほかならないというわけです。

　ハチスンは美徳を擁護する観点からこれに反論しますが、あまり迫力がありません。ルソーは『人間不平等起源論』（一七五五年）で、これを受けとめ、そのような悪徳が支配的となることが避けられない文明そのものを告発することによって「自然に帰れ」と主張します。スミスはただちに『エヂンバラ評論』という雑誌に寄

> かれらの御寵愛の人間愚は
> 食物、家具、着物についての移り気で
> このふしぎでばかげた悪徳が
> それこそ交易をうごかす肝腎な車輪になる。
> 　かれらの法律と着物とは
> いずれも変転つねなきしろもので
> 一時はいいとされたものでさえ
> 半年のうちには犯罪になる。
> しかも、こうして法律を改めては
> さらに傷をさがしてなおしておれば
> 慎慮も予想できぬ欠点を
> むら気のおかげでよく正す。
> 　こうして悪徳は巧智を育て
> ときと働きにむすびつき
> けっこうな生活の事々物々
> そのまことの快楽、愉悦、安易などを
> いよいよ高くひきあげるから
> 貧民どもさえ
> 昔の金《かね》もちもおよばぬくらしをするようになる。
> もうこれ以上なんの不足もないというほどだ。
>
> （岩波文庫『諸国民の富』㈠七六〜七八ページ）

稿して、ルソーのこの力強い文体をたたえており、また、『道徳情操論』では、マンデヴィルの議論が真理の一端に触れていることを認めつつ、同時にそれは詭弁的であると批判しています。スミスに前後してヒュームやファーガスンもそれを受けとめ、こたえようとしています。マンデヴィルの問題提起が、道徳論や歴史観や政治経済論の根幹にかかわる性格のものであったために、これを無視して文明のあり方を論ずることが許されなかったのです。

スミスは、マンデヴィルとルソーの双方に目を配りながら、前者のように開き直った文明肯定でもなく、後者のような文明否定でもなく、前向きの文明批判の方向を歩んだことは、『道徳情操論』に示されています。その意味で、同著は『国富論』への軌道を設定する位置を占めており、マンデヴィルの問題提起は、ここにひとつのバランスのとれた解答を与えられることになります。このように、『国富論』の形成にあたっては、いかにさまざまの思想が絡み合いながらスミスの思想形成に直接・間接に寄与しているかを知ることができます。

3　倫理学と政治経済学

▼同感の原理

スミス『道徳情操論』の基本原理は「同感」(sympathy)と「公平な観察者《インパーシャル・スペクテイター》」の観点です。
この同感の原理は、のちにベンサムの主著(一七八九年)によって功利主義の立場から批判を受けます。個人の快を促し苦を避けるものが善であるとして「最大多数の最大幸福」を実現しようとするベンサム説は、ジェイムズ・ミルやリカード経済論の哲学的基礎とされていきますが、スミスはベンサムに先立つヒュームの功利主義的要素を先駆的に批判しています。と同時に、同感の原理そのものをはじめて展開した人もヒュームであり、ヒュームとスミスの関係は単純には押えきれません。同じことは歴史認識や経済論における両者の関係にも当てはまります。

スミスの同感原理の特徴は固定化された人間観を前提にしていないことです。強いてあるとすれば、生存本能のほかに、言語・感情などをつうじての共感性向があるということぐらいです。この性向が「同感」にほかならず、したがって、同情そのものとはかなり異なります。先にみたドイツの「アダム・スミス問題」の論者がこれを利他心とみなしたために、『国富論』における利己心の体系と矛盾すると誤解してしまったのです。また、その逆に、スミスは利己心だけを人間本性とみなしたわけでもありません。スミスがヒュームの功利主義的傾向を批判したのは、全体のための効用という観点のほかに、同感原理において、相互の利己心を共感し合うという一面化に陥りかねないという点に対してでありました。スミスはそこに陥らないために、「公平な観察者」の観点を補強したのです。それは同感の担い手ですから、他人の言動をその立場に移入してつぶさに観察しなければ公平とはいえません。他人に同調ばかりせずに、ときには反感の担い手にもならなければ公平のバランスが崩れてしまいます。同時にそのことは自分自身の言動にも適用されなければ、これまた不公平になります。「他人の振り見てわが振り直せ」これがスミスの倫理学の要点でもあったのです。

▼公平な観察者

それでは、スミスは公平さの根拠をどこに求めたのでしょうか。たんなる個人的な判断だけでは恣意的な独断に陥っているかもしれません。そこで、スミスは公平を守る徳を「正義《ジャスティス》」と名づけたのです。道徳的な判断においてもっとも難しい問題は、利害や言動が対立しているばあい、どちらが正しいかの決断を下さなければならないときです。他人と直接関係のない個人の行動や他人に奉仕する行動については、まず異論の余地はありません。だれもがそれを容認し奨励するでしょう。ところが、他人同士が対立しているときの判断は、一方が他方を不当に殺傷したようなばあいには容易ですが、もっと事情が複雑なばあいには、たやすくありません。『道徳情操論』の最重要課題は、この判断の方法を解明することに置かれていたのです。

このばあい、観察者Sは対立し合っている行為者Aと被行為者Bの双方に移入し、どちらに同感できるかを検討しなければなりません。もしBがAの行為に立腹し報復しようとしていることにSが同感できれば、Aが不正を犯したことになります。逆にBがAから不正を受けたのにAに怒りを表明せず泣寝入りしたばあいには、SはBのそのような卑屈な態度に同感できません。また、もっと些細なことでBが怒りを過度に表現することもはしたないことになります。Aが不正を犯したAがBの怒りと報復を防ぐために、Bに恐怖を感じさせる行動をとるならば、Aの不正はさらに増幅されます。それが「傲慢」にほかなりません。現実の人間関係や国際関係は、このような無数のタテ糸・ヨコ糸で織りなされており、この複雑微妙な現実を一片の法律や説教で解きほぐしうるものではないというのが、スミスの同感論の視点であり、それが『国富論』へと成長する萌芽となったのです。このような文脈のなかで、高慢と虚栄に関するマンデヴィルらの議論が克服され、自然法が内実化されていきます。

▼高慢と政治経済学

スミスは不正をたんに不正として捉えただけでなく、そこから高慢で貪欲な性格が形成されがちなことを含めて問題としました。とくにそれが展開されたのは、『道徳情操論』第六版増補においてです。それ以前の『国富論』においても、奴隷所有主や植民地領有国民の高慢という指摘がありましたが、いずれも、人格的平等や国民的独立を認めない不正のうえに積み重ねられた、支配者の力づくの抑圧に伴う性格の歪みを意味する用語法であることは、『道徳情操論』によって明らかです。高慢《プライド》そのものは、ホッブズの自然法によって否定され、マンデヴィルの「私悪も公益」という視点によって肯定され、スミスの自己規制論のなかで批判的に再検討されたわけです。スミスは、プライドをもたない者は白痴であるといっているように、マンデヴィルとともにこれを人間のひとつの本能だとみなしています。と同時に、スミスもそれを「悪徳」と呼んでいますが、

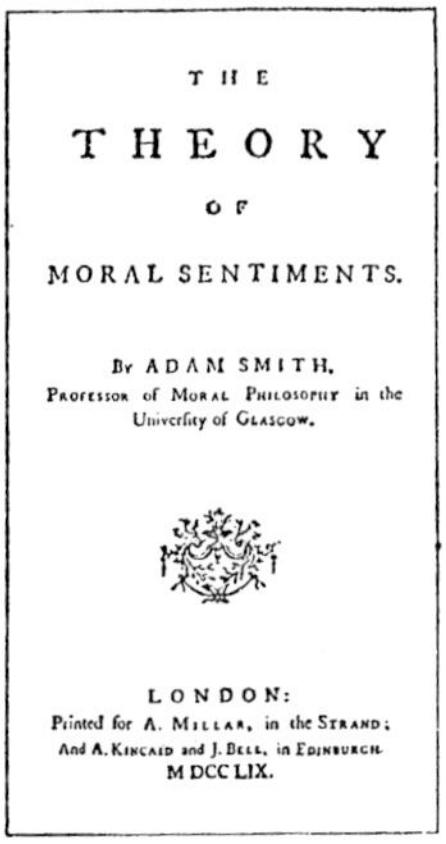
THE
THEORY
OF
MORAL SENTIMENTS.

By ADAM SMITH,
Professor of Moral Philosophy in the University of Glasgow.

LONDON:
Printed for A. Millar, in the Strand;
And A. Kincaid and J. Bell, in Edinburgh.
M DCC LIX.

『道徳情操論』

プライドという言葉に誇りと高慢という二重の意味がはらまれていることをスミスはこのように使い分けたのです。つまり、プライドの本能を誇りとするか高慢とするかは、各人・各国民の置かれた社会環境によって異なってきます。奴隷所有主にも植民地領有国民にもともにプライドがあるわけですが、それはもはや誇るべきことでなく、奴隷や植民地人民という先のBの立場からみれば、不正の上に築かれたプライドであり、したがって高慢と呼ばれるべき悪徳に陥っているというのです。

これと似たことは虚栄心についても当てはまります。『国富論』では大地主の浪費的性格の説明に虚栄心が用いられています。旧地主国家制度のもとでルソーがもっぱら虚栄心を文明の悪徳として告発したこととスミスの用法とはそのかぎりで共通していますが、大地主の浪費の意図せざる結果として産業の発達が促進されたというスミスの見方はルソーと異なります。ただし、高慢については、スミスもそのような楽観論に陥っていないことはその重商主義批判に示されています。すなわち、政治権力や富裕に伴いがちな傲慢と腐敗を批判することによって公正な権力と公平な分配のあり方を展望したところに、自然法の一環としての『国富論』の主要課題があったのです。

▼力の体系

スミスは同感というものがひとつの道徳的能力であり力《パワー》にほかならないといいます。つまり、それは公平な観察者として他人に移入または反発したり、行為者としての自分自身をつき離してみることのできる能力を意味します。それは他者や自己の不正や傲慢を規制しうる能力としての支配力にほかなりません。力《パワー》の語源は be able から由来するように、何かをなしうる能力という意味がこめられています。そのため、英語のパワーは、多くの分野に用いられます。つまり、政治家が統治能力をもっている場合が権力としてのパワーであり、労働者が自然に対して支配能力をもっている場合が労働の生産諸力です。スミスによれば、哲学者というものは、最も異質な諸対象の諸力を結合することのできる人だといいます。スミスは、『哲学論文集』の中で一七世紀末葉におけるニュートンの万有引力の発見をその例として挙げていますが、スミス自身もこの意味での哲学者たらんとしたように思われます。

マキャヴェリ『君主論』におけるヴィルトゥ（徳＝力）をはじめとして、イギリス経験論哲学の祖といわれるベーコンの「知は力なり」という観点、ホッブズによる「本源的力」という人間観、ロックによる意志の力の視点などが積み重ねられてきたなかで、ルソーは個別意志の力が合成されて一般意志の力としての権力が形成されるという社会契約論を主張したのです。ところが、スミスには、道徳能力と生産力と権力という力の三極構造の認識があって、それらの諸力がどのように結合されるのかというより複雑な課題に直面しています。同時に、そこに生産力認識を欠いていた他の論者たちに対する批判意識がこめられたのです。たとえば、ホッブズは「富とは力なり」といいましたが、スミスはこれを引用してホッブズが富を権力に短絡させたことを批判しつつ、富の有する価値としての購買力＝支配力を媒介としてはじめて富が権力を左右しうる構造が解明されます。また、富や権力の保持が人間の貪欲と傲慢を助長しがちな心理要因を分析して、他者や自己への規制能力としての「同感」と「公平な観察者」がスミス体系の基礎原理に据えられたのです。その意味で、道徳、政治(法)、経済の三極構造が力の体系によって結合されていたところにスミス体系の独自性があったのです。

4　スコットランドにおけるスミス

▼ワットとの出会い

スミスは一七二三年にイギリス北部のスコットランドの港町カコーディで生まれました。スミスの父は関税監督官でしたが、出身はカコーディよりさらに北の北海に面したアバディーン近くで、ずっとのちのジョン・スチュアート・ミルの父ジェイムズ・ミルもその近辺の出身です。スミスの母はカコーディ近くの大地主の娘で結婚二年後、アダム・スミスを出産する前に夫を失います。スミスは生涯独身で通し、四三歳頃から『国富論』執筆のためカコーディに母と暮し、晩年に母を亡くしてから急に衰えたといわれています。スミスは、母のすすめでグラスゴウ大学に一四歳の時から三年間学びます。カコーディの南側の入江の対岸には政治・文化の中心都市エヂンバラを望むことができます。エヂンバラは、一七〇七年にスコットランドがイングランドと合邦する以前には、その首都でした。そのエヂンバラ大学から、ヒューム、ケ

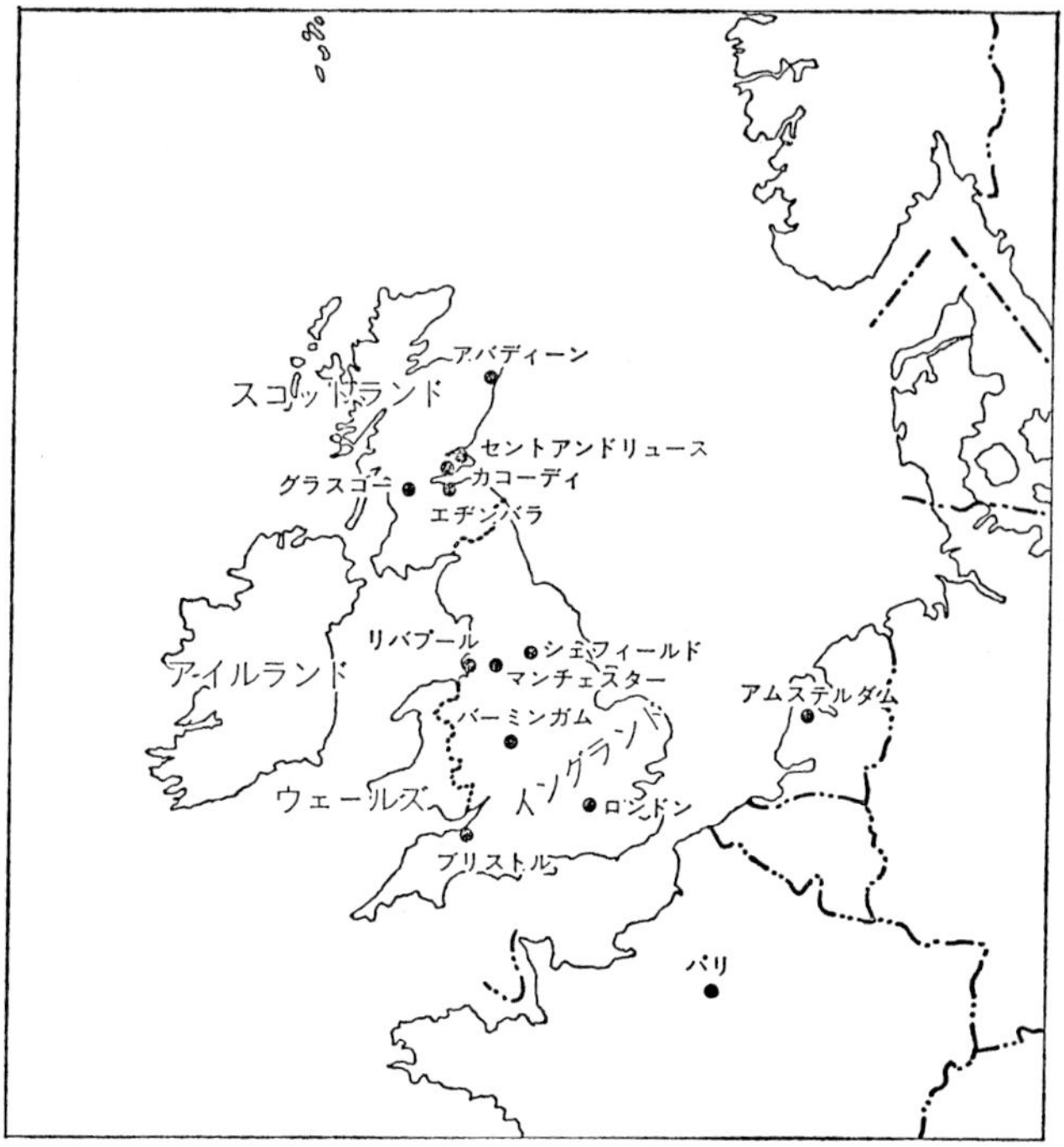

スミス関連地図

イムズ卿、スチュアート、ファーガスン、ブラックなどの俊英が輩出し、やがて北方のアテネと呼ばれるほど文芸の興隆がみられたのです。

ところが、スミスの母は馬車で一両日はかかる遠方のグラスゴウ大学をあえて選びました。その理由は、母方の親戚がそこにいたことと、オックスフォード大学留学のためのスネル奨学金制度があったからだといわれています。結果的にはこの偶然がスミスの『国富論』執筆に大いに寄与したものと思われます。スミスは、『国富論』の中でグラスゴウとエヂンバラの比較を

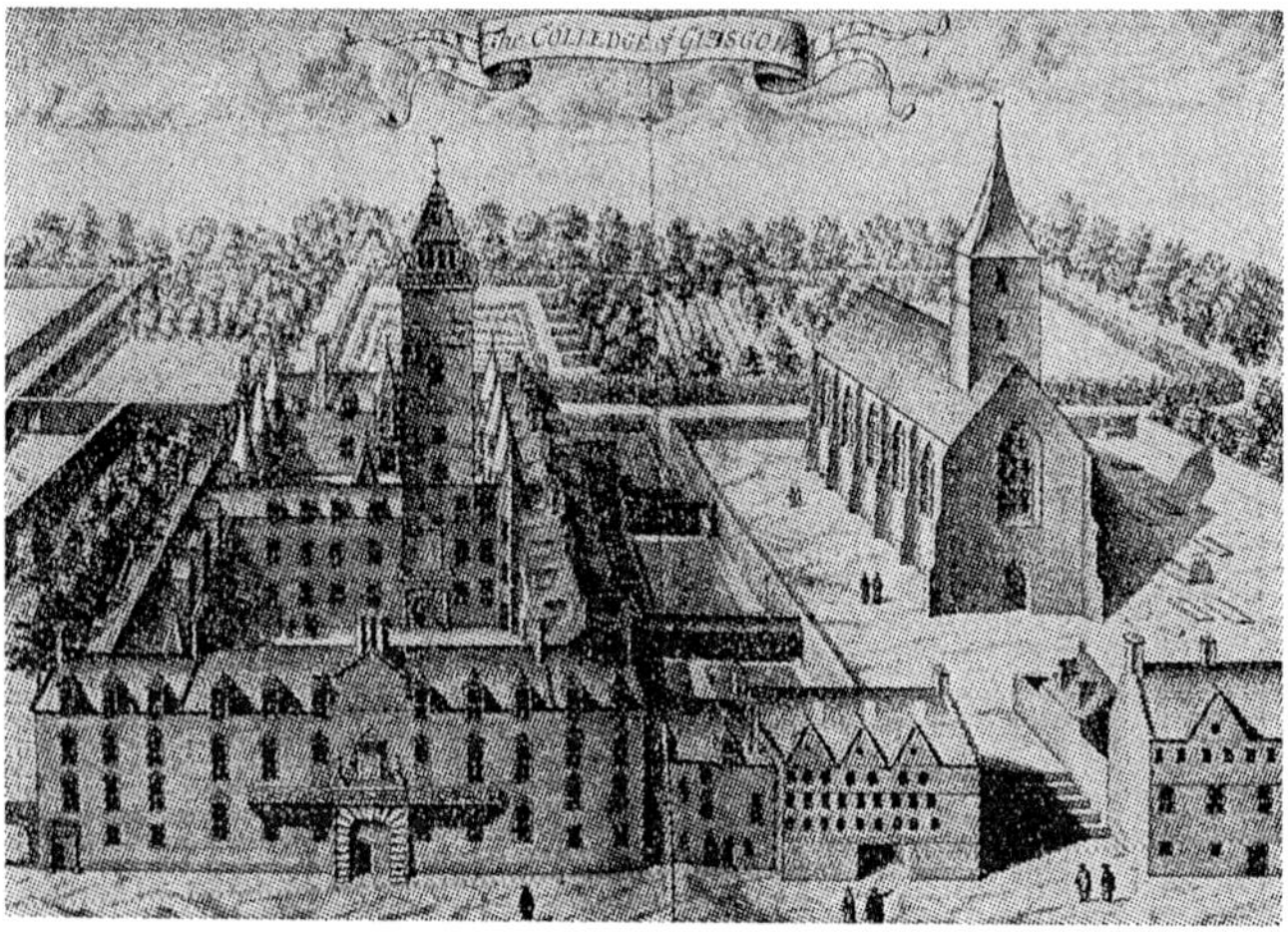

当時のグラスゴウ大学

して、前者を生産都市、後者を消費都市とみなしています。たしかに、エヂンバラが貴族的名残りをとどめていたのに対し、グラスゴウは北アメリカとの貿易港であり、また産業革命の一拠点となったように庶民的雰囲気に満ちていました。

そのグラスゴウ大学でスミスはハチスンの薫陶《くんとう》を受けます。また、スネル奨学生としての六年間のオックスフォード留学を終え、約五年ほど故郷で過ごしたのち、母校の教授に迎えられます。そしてハチスン亡きあと、同じ道徳哲学の講座を担当し、約一三年間の教授生活を送ります。その間の有名な逸話としては、同業組合制度のために開業できなかったワットが、大学内の実験器具修理のための職人として招かれ、仕事場兼実験室を与えられたことです。スミスもワットを迎え入れることを決めた一員であったのです。ワットが蒸気機関を改良したときには、スミスは大学をやめていましたが、近代産業社会を象徴するこの二人が同じキャンパスにいたということも奇遇というべきでしょう。

潜熱の発見者で近代化学の創始者の一人として知られる同僚ブラックとのスミスの交友はさらに親密で、スミスはかれを代表的な地質学者のハットンとともに自己の遺言執行人に指名したほどでした。そしてスミスが焼却を命じなかった唯一の遺稿が、この両者によって『哲学論文集』として刊行されたのです。このブラックがワットを指導し、かれの潜熱の発見がワットの改良の契機となったのですから、スミスは産業革命期の最先端を行く科学者たちと身近に接していたことになります。

▼**スコットランドの思想風土**

当時のスコットランドの人口は約一〇〇万（現在は約五〇〇万）で、イギリス全体では約八〇〇万、フランスは約二、四〇〇万、北アメリカは約三〇〇万と推定されています。フランスがいかに当時の大国であったかが推測されます。スコットランドは一七〇七年以前には独立国でしたが、すでに一六〇三年にスコットランド国王がイングランド国王を兼ねて以来、両国の王位は統一されていました。この両国の合邦のためにスコットランドに派遣されて根回しをしたのが『ロビンソン・クルーソー』の著者デフォーですが、実はその題材はスミスの故郷の近

ワット

辺に実在した漁夫の体験から得られたものだったのです。

このスコットランドでは、のちにマックス・ウェーバーがルター、カルヴァンと並べて挙げているジョン・ノックスを指導者とするかなり徹底した宗教改革が一六世紀中葉に行なわれました。それはカトリック教国フランスによる民族的抑圧の危機を招きましたが、ノックスの指導のもとにこれをはねのけたのです。その拠点となったのが、カコーディからほど遠くないセント・アンドリュースです。

また、スミスと同年輩のドイツの哲学者カントの父方の祖父はスコットランドからのプロシア東方植民地（現在はソ連領）への移民だとされています。そしてカント自身、そのことを誇りをもって語り、ハチスン、ヒューム、スミスというスコットランドの代表的な哲学者たちから多くを学んでいたのです。新カント派といわれたウェーバーがノックスを高く評価し、ロビンソン・クルーソーの合理主義に注目したことも、スミスを生み出した思想風土の一端を示すものとして偶然ではなかったのです。ヒューム、スミス、カントおよび先のブラック、ハットンのいずれも、生涯を独身で過ごしましたが、かれらの信仰心の有無とは別に、ウェーバーのいう禁欲的エートスを見事に体現した人物群像であったとはいえないでしょうか。

▼自由貿易の功罪

合邦当時のスコットランドでは亜麻布業やニシン漁業が盛んでしたが、合邦後、黒牛がイングランドで高価に売れるようになって畜産が大いに促進されます。また、北米植民地との独占貿易に参入できたため、大西洋北辺を迂回するグラスゴウへの航路がイングランドのリヴァプールやブリストルへのそれよりずっと有利になり、グラスゴウはタバコ貿易の拠点となるに至ります。しかし、スミスはあえてこれを無視し、というよりは、独占そのものを批判していたために、合邦の最大の利益は黒牛が高価に売れるようになったことだと明言します。なぜならば、黒牛の飼育量が飛躍的に増えたことが、その思わざる副産物として、黒牛の糞尿を肥料としていた穀物の産出量を大幅に高めたからだというのです。と同時に、羊毛原料の海外輸出が禁止されていたために、一八〇一年の合邦以前にあったアイルランドも含めて過酷な取締りが行なわれました。その法律は血をもって書きこまれているとスミスにいわせたほどのむごたらしい制裁が、スコットランドやアイルランドの密輸者に加えられたのです。その法律はイングランドの毛織物業者の利益のために制定されたものにほかならなかったのです。

スミスの自由貿易の主張は、このような現実を踏まえてなされたのです。しかし、それはただちに思わぬところからの反論に会います。すなわち、それは、のちのマルサスやリカードの差額地代論の先駆者といわれるアンダースンからです。かれはスミスと同郷の農業者でしたが、『国富論』出版の翌年に著書を刊行し、差額地代論を展開することによって、穀物輸出奨励金を削減された場合にまっさきに零細農業者が切り捨てられる可能性と、それに伴う農産物の減収により国家的独立が脅かされるに至ることなどを先駆的に指摘したのです。スミスがこれに反応を示さなかったのは、絶対地代に相当するものを穀物生産には認めていたからだと思われますが、あるいは意識的にこれを無視したのかもしれません。

▼進取の気風

スミスに先行してヒュームに優れた経済思想があったということはあまり知られていません。また、スチュアートの大著にしても、先のアンダースンにしても、『国富論』の影にかくれて過小評価されています。ところが、これらがいずれも人口一〇〇万足らずのスコットランドのしかもロウランドと呼ばれたごく狭い地域で同時代に生み出されたものなのです。

そのことは、経済思想においてだけでなく、歴史学・道徳哲学・自然科学者からロマン派詩人の場合にも当てはまります。それらの人たちのほとんどがエヂンバラ、グラスゴウのどちらかに在住して交流を深め、一種の文芸共和国をつくり上げていました。スミスには、先の『法学講義』のほかに、論理学講座を担当したときの学生の受講ノートとして『修辞学・文学講義』が残されています。論理学とは元来、ことば《ロゴス》の学であったはずですが、中世以来、先のオックスフォードをふくむヨーロッパの大学ではややこしい形而上学にされていました。ハチスンにならってスミスも、これにとらわれず、英語が半ば外国語に近かったスコットランド住民として、言葉（英語）の表現と説得の方法を論理学の主題としていました。このようなところに、当時のスミスやその周囲の人たちの進取の気風が端的に示されています。そして、そのことと新しい経済学の構想とがけっして無関係ではなかったのです。経済学の一源流は、当時、ケネーをはじめとするフランスの重農学派を例外として、このスコットランドから期せずして発することとなったのです。

▼スミスの先駆者たち

ヒューム『政治論集』(一七五二年)の約半分は経済論に当てられており、勤労《インダストリ》こそが富の源泉だというスミスの労働生産力論に先行する認識がすでに基調をなしています。また、利子・貿易・財政・人口などについても、スミスに先立って適切な分析と展望がなされています。ただし、スミスと比べると、まだ独立生産者像が基本とされているところに時代的制約に伴う弱点があります。なお、スミスにとってヒュームは一二歳年上でしたが、『国富論』出版に当たってスミスが衰弱していたときに、ヒュームに出版を託そうとしたほどの親しい間柄でした。

スミスは、またケネーやチュルゴーとも親交がありました。デュガルド・スチュワートによれば、スミスは当初、『国富論』をケネーに献呈するつもりであったと伝えられています。スミスが付添い家庭教師としてフランス滞在中、バックルー侯が高熱に冒されたとき、フランス国王の侍医であったケネーに診てもらったこともあったのです。

スチュアートは、スミスとは学問的にも実生活の上でもすれ違いに終始します。それは、かれが、スコットランド系の旧王朝(カトリック)を復位させようとしたジャコバイトの乱(一七四五年)に加担し、その使臣として渡仏したまま追放され、一八年近くもフランスやドイツに滞在していたためです。エヂンバラへの

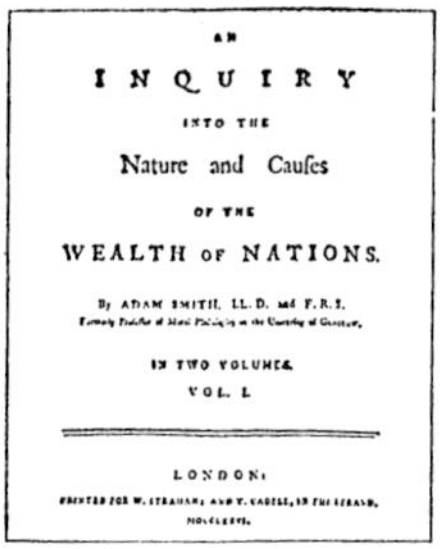
AN
INQUIRY
INTO THE
Nature and Causes
OF THE
WEALTH OF NATIONS.
By ADAM SMITH, LL.D. and F.R.S.
IN TWO VOLUMES.
VOL. I.
LONDON:

『国富論』初版

帰郷四年後に『政治経済学原理』（一七六七年）を刊行しましたが、その重商主義理論は大陸諸国での観察・研究に依拠せざるをえなかったのです。この書と『国富論』とは同じ出版社から刊行され、分量も同程度です。スミスはスチュアートを克服することを主要課題としたにもかかわらず、当時の習慣もあって公然と名を挙げて批判することを控えたために、スチュアートの経済学はその後マルクスとケインズ学徒の場合を例外として不当に過小評価される結果を生じてしまったのです。

5　市民社会と社会主義

▼巨人ガリヴァーの目

一八世紀から一九世紀初頭にかけて、イギリスとフランスは世界の二大強国として植民地争奪などをめぐり戦争が絶えず、その間一〇〇年のうち約六〇年間も戦争状態にあったほどです。スミスをはじめスコットランド啓蒙思想の担い手たちは、意識的にこのような民族間の敵対心を超越してフランス啓蒙思想家たちと学問的交流を行なっていたのです。一八世紀初頭にアイルランドのスウィフトは『ガリヴァー旅行記』において、海を隔てた小人の国同士が争い合う様を巨人の目を通していかに愚劣であるかと風刺しています。そしてスミスは、先の『修辞学・文学講義』においてその対照の妙に賞賛の声を惜しまなかったのです。スミスもまた、巨人の目を通すようにイギリスとフランスの有害無益な争いを批判的に眺めていたのですが、しかしただ傍観しただけでなく、その愚劣さを論理的＝説得的に論述することによって、平等互恵の平和な国際関係を築く道筋を明らかにしようとしたのです。

同様のことは、北アメリカ植民地のイギリス本国からの独立戦争にも当てはまります。「独立宣言」は『国富論』出版のほぼ四ヵ月後に発せられましたが、スミスはこの問題の分析のために同書刊行予定を三年も延期して故郷を離れたままロンドンに滞在したほどでありました。その内容については、第Ⅳ章にゆずりますが、ひとつ面白いことは、イギリス側の高慢とアメリカ側の野心について触れていることです。この高慢と野心は、のちの『道徳情操論』第六版増補の論題として批判的に検討されますが、人間関係や国際関係において対等な権利が確立されないと、いかに人間性や国民性を歪めてしまうかの事例として、スミスはこれを超然と分析してみせたのです。

スミスがフランス革命をいかにみなしたかは、その翌年の春に刊行された同書増補部分でも直接これを取り上げていないために定かではありませんが、おそらくアメリカ問題と同様に冷徹にこれを分析して、その主たる責任を旧制度の側にかぶせたものと考えられます。そのヒントは『国富論』にも『道徳情操論』にもふんだんに見出されるからです。その意味で、スミス体系は、アメリカ独立やフランス革命を先取りした啓蒙思想の一環であったのです。ただそれに加えて、より深く経済構造の内的関連を解き明かしたところにスミス市民社会体系の独自性

マルサス

リカード

があります。その後の諸思想は、市民社会の代名詞としてのスミス体系に挑戦することを避けられなくなるのです。

▼リカードとマルサス

スミスの影響もあって、一七八六年にイギリス・フランス間の自由貿易協定（イーデン条約）が結ばれますが、そのためイギリスの工業製品によりフランスの未熟な商工業が大打撃を受け、その不満が革命の一因になったとさえいわれています。その後のナポレオン体制はそれを防ぐために保護貿易政策を採りますが、農地制度に関しては、スミスの主張した分割相続制がナポレオン法典において実現されます。肝心のイギリスでは長子相続制が一九世紀末まで温存され、それに伴う貴族制的反動性に着目したジョン・スチュアート・ミルは一九世紀中葉に改めて分割相続制を主張し、マルクスもこの問題を社会革命の最重要課題とみなし、第一インターのもとに「土地労働連盟」を組織したのです。

これに反して、スミスの自由貿易の主張は、さらにリカードによって強力に推進され、一九世紀中葉にかけて急ピッチで保護関税が撤廃されるに至ります。ただし、スミスは穀物輸出奨励金を批判したのに対して、一八世紀末から穀物輸入国に逆転したイギリスでは、穀物輸入関税の方が自由貿易に反する主要因となったために、リカードはもっぱらこれの撤廃を主張することとなったのです。

逆にマルサスは、一種の農業立国を説いたスミスの視点を受け継いで、農業を保護するための穀物関税の必要性を力説しました。ただし、農業の前提となるべき土地所有制については、マルサスはスミスの分割相続論に批判的で、むしろエンクロージャーをすすめていたイギリス固有の大土地所有制の現実に安住していたのです。

リカードとマルサスとのこのような貿易政策やそれを支える産業構造、分配関係の評価の違いに応じて、それぞれの観点を理論的に裏づけるものとして、スミス価値論に併存していた投下労働論と支配労働論とがリカードとマルサスとに別々に受け継がれることになります。

▼市場機構の限界

スミス体系を先に力の体系と名づけましたが、それはけっして抑えつけたり、押しやったりする意味でなく、むしろひきつける力を意味しています。一七世紀にデカルトは宇宙に充満するエーテルが渦巻状に太陽のまわりを流れていることを地動説の原因とみなしましたが、ニュートンは万有引力の法則をもってこれを論破しました。フランス啓蒙思想家たちとともに、スミスもこの転回の意義を再三強調しています。そしてその観点を人間論や経済論のなかに生かしたのです。

たとえば、商品価値が購買力を有するものとして相互に引っぱり合う関係のなかで市場機構

マルクス

のバランスが保たれるという見方が、支配労働価値論のなかにあります。スミス体系の意味は、まさにこのような市場機構にふさわしい思想と理論をつくりあげたところにあったわけですが、この私的所有と自由競争に立脚する市場機構そのものをどう受けとめるかということが、一九世紀以降における市民社会批判の課題とされたのです。経済論の範囲内では、リストのように後進的なドイツ産業資本育成のために保護貿易を唱える見方や、一九三〇年代大不況期におけるケインズのように、市場機構そのものの破綻を国家の政策的介入によって再建していこうとする見方のなかで、『国富論』体系が批判されます。

また、市民社会そのものに対する批判としては、ヘーゲルのように市民の私事性よりも公民としての公共性に優位を認めるものや、マルクスのように、私的所有、労働力商品化、恐慌などの和解しがたい階級矛盾をのりこえようとする見方が対置されるに至ります。とくにマルクスは、初期から晩年に至るまで、スミスとリカードに代表される古典経済学に対する批判に没頭します。その批判体系「プラン」が『資本論』を除いては完成されなかったところに問題も残されていますが、スミスの提起した市場機構とそれに基礎づけられた階級関係そのものを根本的に変革することを課題としたマルクスの視点は、ケインズの市場補強策が必ずしも万能でなくなりつつある今日、ますますその重みを受けとめることが避けられなくなっています。

▼市民社会と社会主義

わが国では、スミス体系は福沢諭吉『文明論之概略』などによって明治維新後いち早く導入消化され、やがて富国政策の一環として活用されます。しかし、スミスの重商主義批判や市民社会性というものが、ドイツ以上に後進的な日本の国家主導型の富国強兵政策にはなじめないものだったのです。そして明治憲法制定にみられるようにドイツが模範とされるにつれて、フランス啓蒙思想が反体制的な自由民権運動に受け入れられたように、スミス体系も啓蒙思想の一環とみなされるようになってきます。とくに、今世紀に入り帝国主義、第一次世界大戦、大恐慌、ファシズム、第二次世界大戦という激動の時代を迎え、後進性を逆用しながら軍国主義化の方向をたどってきたわが国のあり方に対して、スミスの市民社会体系は、むしろ体制批判の意味合いを内包するものであったのです。終戦後に、スミス的な市民社会はようやく満面開花する条件を与えられますが、しかしその後の高度成長のあり方は、農業を基盤としたスミスの国民経済の展望とはかなり違ったものになっています。農業を犠牲にして国際分業体制にのめり込んだ戦後日本経済の姿は、むしろリカードの展望したものに近いといえます。

さらに、スミスのばあい、道徳論や政治論のより理想的なあり方が展開されていましたが、それに照らしてみると、戦前はもとより戦後日本のあり方は、個々の事例にとどまらず全体的にみても、スミス市民社会体系を十分には生かしきっていないのです。同時に、そのことは資本主義体制をのりこえるべき社会主義の現実と運動のあり方に対しても妥当するところがあります。その意味で、われわれのスミスへの対応のしかたは微妙な配慮と柔軟性を必要とします。もはや、市場機能が万能でない以上は、それはのりこえられなければならないと同時に、それを裏づけていたスミスの同感原理は、市場機構が修正ないし変革された世の中でこそ逆にその真価を発揮しなければならないはずの普遍性を内包していたのです。つまり、スミスの同感原理は市場機能が万能でありさえすれば、そこに吸収されて独自の真価を発揮する必要性もないわけですが、市場機能を修正・変革したときに、同感原理までも水に流す必要はまったくないはずで、むしろ逆にその働きが表舞台に登場させられなければならないのです。それは、富や権力を手中にする人間の貪欲や傲慢に対する民主的な、国際的な自己規制原理としての意味を内包するものであったからです。

I

分業・価値・分配

〔『国富論』第一篇〕

カコーディの中心街（上）と
アダム・スミス・センター（下）

1　分業について

▼ピン製造の例

労働の生産諸力を改善させる最大の原因は分業である、とスミスは『国富論』の冒頭で強調しています。分業とは文字どおり「労働の分割《ディヴィジョン》」であり、分割された部分労働が結合されてはじめて何かを作るという目的を果たすことができます。したがって、あたりまえのようですが、スミスの分業論にはこの分割と結合の両方がふくまれています。重商主義は貨幣を、重農学派は生産物＝商品を出発点に置いたことと比べて、スミスが分業という生産場面を出発点に据えたところに、その後のリカード等にいたる古典経済学の特徴があります。

分業の一例としてピン製造のばあいがあげられます。一〇人のピン製造職人が一人一人ばらばらにピンの完成品を作ると、一日に一人で一本か、どんなにがんばっても二〇本どまりでしょう。ところが、この一〇人がおたがいに仕事を分担して流れ作業にすると、一日一人あたり四、八〇〇本のピンを実際に作ることができました。したがって、同じ人数と同じ時間で分業するかしないかによって、四、八〇〇対一、よくても二四〇対一の差が生じることになります。したがって、この分業こそが他の何ものにもまして富を増進する最大の原因であるとみなされたわけです。このような事実を指摘した人は当時まで少なからずいましたが、スミスほど鮮やかに強調した人はおりません。ところが、同時にスミスはこの分業がもたらす弊害についてもいち早く洞察して、それの是正を『国富論』第五篇で説いています。すなわち、分業の固定化による知的・道徳的・肉体的一面化という問題ですが、これについては第V章でふれることにします。

▼分業の効果

分業の効果は、ピン製造の場合ほどではないにしても、多かれ少なかれ他の製造業にも共通しています。しかも未開から文明へと下るにつれて、分業の発展はいっそう顕著になります。同じ文明社会でも農業よりは製造業において細分化の度合いは強まります。農業では気象条件によって仕事が定められてしまうからです。したがって、製造業における分業の進展の度合と文明社会の成熟度とが対応するという現状認識をスミスはもっています。

スミスの立像（ガッセル作）

　分業が先にみたように顕著な効果を有するのは三つの事情によります。第一は個々の職人の技巧の増進、第二は、時間の節約、第三は機械の発明であります。

第一に、技巧が改善できるのは、分業が細分化されればされるほど仕事がそれぞれ単純化されるために、一つの仕事を習得することがやさしくなるからです。

第二に、同一の細分化された仕事を継続的に行なう場合の方が、つぎつぎと別の仕事に移らなければならない場合より、仕事から仕事への時間を節約できるためです。

第三に、適切な機械の使用によって労働時間はさらに短縮され、能率が高まるわけですが、この機械の発明それ自体が、分業に由来します。なぜならば、仕事が細分化され、単純化されれば、人の注意力がそこに集中して工夫をこらし、また単純化された作業を機械に置きかえることもたやすくなるからです。この場合には、職人が機械の発明家ですが、さらに、科学や哲学が独自の職業となるにつれて、そこにも同様の分業の効果が働いて専門家が発生し、機械の発明が促進されていきます。

▼文明と未開の相違

このような分業の効果を享受できる文明社会では、富裕が最下層階級にまでひろがっていきます。すなわち、各職人は分業の結果として取得した多量の財貨を相互に交換しあうことによって、生活に必要な財貨を十分にととのえることができるからです。

たとえば、日雇労働者の上衣も無数の職人の結合労働の産物にほかなりません。一着の上衣を作るのにも、羊を飼い、羊毛を刈り取り、染め、紡ぎ、織り、仕立てる、等々の工程があります。さらに、そのための道具や染料のための仕事にまでさかのぼると、羊毛を刈る鋏ひとつを作るにも、染料を手に入れるにも、無数の技術が結合されていなければなりません。上衣のほかにシャツ、靴、ベッド、台所用具、食卓用具、パン、ビール、ガラス窓、等々のごくありふれた家財道具さえも無数の職人の協働なしには、これらをととのえることはできません。スミスに言わせると、その意味での日雇労働者の豊かさは、未開野蛮国の王者の家財道具をさえはるかにしのぐものであり、その格差に比べれば、文明社会内での日雇労働者と富貴な人との格差などとるに足りないほど小さい、ということになります。

ルソーは『人間不平等起源論』(一七五五年)において、私有財産制度にもとづく文明社会の不平等を鋭く批判し、「自然に帰れ」と主張していましたが、旧制度下フランスのルソーと異なり、名誉革命体制下のイギリスにおけるスミスは、未開と文明を先のように対比することによって、文明社会をポジティヴに解明し、しかもかなり楽観的に展望したのです。同時にそのような富の分析が、人間関係にもとづいて行なわれることによって、その後の経済学のあり方にひとつの軌道を設定することとなります。

なお、のちにマルクスは分業の前に協業を論じますが、ここに資本のもとでの分業を批判的に解明したマルクスと、独立自営業と資本制企業とを峻別しないスミスとの相違があります。そのことは、分業を論ずる際にも、マニュファクチュア内分業と社会的分業の区別を明確にしたマルクスと、その区別をしないスミスとの相違にも関連します。要するに、スミスの分業論における結合労働には、職人（賃銀労働者）の労働も独立自営業者のそれも、ともに含まれているところに特徴があります。これをおさえておくことが『国富論』体系を理解するひとつの要点であります。

2　分業をひきおこす原理および市場の広さ

▼分業と人間の本性

これほど多くの利益をもたらす分業は、それを企図しただれかの英知の所産というわけではなく、人間本性のなかの一定の性向つまり交換するという性向の帰結だとされます。これをもっと探れば言語能力等に由来するかもしれぬ、とスミスは言いますが、それ以上の言及はなされていません。ともかく、分業・交換を行なうところに、動物と違う人間の独自性があります。ここで、スミスは分業と交換を一体視していますが、これはスミスが私的所有制度のみを富のあり方として前提していることを物語っています。なぜならば、私的所有でない共同所有制の場合には、交換のない分業も可能だからです。そうだとすれば、スミスが交換性向を人間の本性とみなしたことは、超歴史的な一面化だというべきでしょう。しかしそれがたんに人間観に限られるものでなく、所有論、歴史観等々のすべての問題にかかわってくることについては、すでに本書の序章でふれたとおりです。

それでは、スミスがこの冒頭部分で交換性向を人間の本性とみなしたことの積極的な意義はどこにあるのでしょうか。

▼犬と人間のちがい

小さな犬が大きな骨をもてあまし、大きな犬が小さな骨に飽き足りなくても、たがいに交換しあうということはありません。動物が人間や他の動物から何かを獲得できるためには、他者の好意をかちえる以外の方法を持ちあわせていません。仔犬は母犬にじゃれつき、母犬は主人に芸をしてごちそうにありつこうとします。人間もときには他者の好意に依存して何かを獲得しようとすることもある、とスミスは皮肉ります。第三篇では、はっきりと大地主の好意に依存して生活する従者のあり方が再三指摘されますが、このような旧制度批判を連想すると、この犬の例が対照の妙を得ていることが理解されます。スミスはスウィフトの『ガリヴァー旅行記』の対比的な風刺を高く評価しましたが、その手法がここに活用されたといえます。

ところが、文明社会では、ひとつの家財道具ですら無数の人びとの協働の産物でしたから、それらの人びとすべての好意に依存することは不可能です。人間はその無数の同胞の助力を必要としますが、しかしそれを同胞の仁愛だけに期待することは徒労であります。「われわれが自分たちの食事を期待するのは、肉屋や酒屋やパン屋の仁愛にではなくて、かれら自身の利益に対するかれらの顧慮に期待してのことである。」つまり、各人が他人の好意に期待するのではなく、相互に自分の利益を追求することが円滑な交換を促し、必需品の獲得を可能にするというわけです。スミスの交換性向論の帰結がここに示されています。

さらに、交換しうるという確実性が高まれば高まるほど、各人は安心して分業に専念することができますから、各人がそれぞれ得意の職業に没頭します。スミスによると、才能の差異というものは主として職業の相違から生ずるものとされます。哲学者も荷運び人も本来の才能の差異は取るに足りないのであって、かりに両者が生涯にわたって自給自足の独立した生活を行なっていたとしたら、才能の差異は生じなかったはずだとさえスミスは言います。しかし現実には交換性向と分業によって才能の差異がつくりあげられています。このこともスミスは認めたうえで、もっとも異質な天分の産物を交換しあうことによって、その産物をいわば共同財産《コモン・ストック》のなかにもちこみ、かつそこから必要部分を購買することができるのだから、相互の才能が役立てられているのだという積極面が評価されることになります。

▼市場の広さ——分業促進の条件

分業が促進されるためには、少なくとも二つの条件が必要です。ひとつは、生産場面におけるそれです。ピンのマニュファクチュアの場合でも、一〇人の職人を雇用し、道具と原料を提供する雇主(資本家)がそれに見合う資本をあらかじめ所有していなければならないはずです。しかも、スミスの論理からすれば、資本の規模が大きいほど、分業の効果が現われるわけですから、その分業論には当然、資本蓄積が前提されなければならないはずです。資本蓄積については、第二篇で、またそのための歴史的条件については第三篇で論じられますが、いわゆる

「原始的蓄積」の分析はスミスにおいては回避されています。それは部分的には重商主義理論において分析されていますが、本格的にはマルクスにおいてなされることになります。

分業のための第二の条件は、交換力＝購買力つまり市場の広さということです。分業と交換を一体視しているスミスにとって、分業だけが一人歩きすることはできません。それは必ず交換能力に支えられてはじめて意味をもつものとみなされます。要するに、どんなに能率よくたくさんのピンを作っても、それが売れなければ死物同然だというわけです。

大都会と農村を比べたばあい、大都会の方がはるかに多様な分業を可能とするのも、このような市場の条件が満たされているからです。さらに、この市場の条件を支える有力な要因として交通の便宜ということが挙げられます。どんなに豊かな購買力のある地域があっても、交通の便がなければ交換は成立せず、したがって、市場としての条件を満たさないからです。ところが、この交通手段は、自然的・技術的条件によって多分に左右されます。古今東西を問わず、主たる大量輸送手段は海運です。内陸においても、スミスの時代には河川・運河による水運が大きな役割を果たしていました。陸運の主要なものは馬車でしたから、経費と安全性の点で大量運搬の可能な海運・水運の方が有利だったわけです。

そうして、沿海地域や河川の沿岸に分業が発達し、多くの都市が形成されてきました。内陸地方の発達がたちおくれたのは、このような事情によります。古代の地中海沿岸都市のばあい、古代エジプトのナイル河沿岸地域のばあい、さらにインドや中国の河川沿岸のばあいなどをみても明らかだとスミスは言います。近代的な分業の原理が、いきなり古代に適用されてしまうことには疑問がありますが、交通の便宜が市場の条件をいかに左右したかの実例としては否定しえない事実です。このような市場論が、とくに第四篇での自由貿易の主張の根拠とされることになります。

3　貨幣はいかにして発生し、使用されたか

▼貨幣の発生

分業が広く確立されてくると、ある人が自分自身の労働の生産物で生活の必要を満たしうる部分はほんのわずかに限られます。その必要部分を上まわる自己の生産物の余剰部分を、他の人びとの労働生産物のなかで自分が必要とする物資と交換することによって、はじめてかれは生活必需品のすべてを手に入れることができます。こうして、「あらゆる人は交換によって生活し、つまりある程度商人になり、また社会そのものも、適切にいえばひとつの商業社会に成長する」ことになります。

第三章までは、スミスは独立生産者が自己の労働生産物の余剰部分を相互にいわば物々交換しあうと仮定してきました。あるいは難しく言えば、貨幣による媒介を捨象してきました。ところが、現実には、ある独立の生産者が自己の余剰物資を交換に供しようとしても、それに見

合う相手がいなければ交換は成立しません。たとえば、パン屋がパンを提供して肉と交換しようとしても、肉屋の方が交換すべき肉はあるがパンを充足しているとすれば、それをパンとは交換しないで、何かほかの必要なものとの交換に当てるでしょう。その意味で商品所有者が自分の商品を交換すべき相手を見出すということは、まったく偶然のチャンスに依存することになります。これでは交換がすぐ行きづまってしまいますから、それを避けるために、各商品生産者は自分の生産物のほかに、だれもが交換することを拒まないある特定の商品の一定量をいつも手もとにもっているというしかたでこの問題を処理しようという努力が、つみ重ねられてきました。そしてこれが貨幣の起源だとみなされます。

▼何が貨幣に用いられたか

貨幣の起源がこのように交換の便宜に由来するとしますと、そのような便宜にふさわしい商品がその役割を果たすようになることは当然のなりゆきでしょう。未開時代には家畜が使用されましたし、ある所では塩が、また別の所では特定の貝がらが、さらには干物、タバコ、砂糖、なめし皮、釘などが実際に交換の共通の用具として通用していました。しかしながら、やがて人びとはすべての国でこの目的のために金属類を選ぶにいたりました。なぜならば、それは、めったなことでは腐敗せず、保存しやすく、溶解によって分割と結合が可能であったからです。このことは、いずれも金属が他の何物にもまして交換用具に適していることを物語るものです。そのために、古代スパルタにおいては鉄が、古代ローマにおいては銅が、そしてすべての富んだ諸国民においては金銀が用いられました。

これらの金属もはじめのうちは棒状のまま刻印もなく使用されていましたが、そのことは二つの重大な不便をともないます。第一に、重量をはかることがきわめて煩雑だということ、第二に、とくに金銀のばあい、その純度が値打ちを左右しますが、それを正確に識別することは日常的には不可能なことです。そこで多くの国が、このような交換用具としての金属類の一定重量に、公的な刻印を押すことを余儀なくされたわけです。そしてこれが鋳貨の起源であり、また造幣局と呼ばれる官庁の起源であります。

イギリスで当時も使われていたポンド、シリング、ペニーも、もとはローマ時代における鋳貨の重量の呼称でした。ところが、どの国でもみられたことですが、はじめは、鋳貨の名称はその重量を正確に表示するものであったにもかかわらず、鋳造の権限を掌握している国家の手で、国民の信任を悪用して、鋳貨が本来含有していた金属の正味の分量を減らしてきました。それがいかに国家に有利で国民に不利であるか、また、債務者に有利で債権者に不利であるかは、明白なことでしょう。スミスは、このような歴史的な分析を介して、みせかけの貨幣の値打ちと真の値打ちとがいかに背離するかを証明し、真の価値の探究に読者を自然に導いていきます。

▼交換価値と使用価値

人びとが自分の財産を交換するさいに、貨幣を用いるか否かにかかわらず、人びとが自然にまもる法則があるにちがいない、この法則が財貨の交換価値を決定する、とスミスは言います。ところが、この交換価値のほかに価値という言葉にはもうひとつの意味があります。それはある特定の対象の効用を表わすもので「使用価値」と呼ばれます。それに対して交換価値はその特定の対象を所有することによってもたらされる他の財貨に対する購買力を表わすものです。

スミスを記念したコイン

たとえば、水ほど有用なものはありませんが、それでもって何かを購買することも、何かと交換することもほとんどできません。これに反して、ダイヤモンドはほとんど使用価値をもたないのに、それと交換にきわめて多量の財貨をえることができます。このように区別することによって、スミスは商品の交換価値を決める原理を究明することに焦点をしぼっていきます。

　分業＝交換の体系から論を説きおこしたスミスは、このようにして富の分析を深めていきます。『国富論』第一篇の目的は分配秩序の解明に据えられていますから、富の生産の要因を分業においてとらえたスミスは、生産された財貨の分配量をはかる尺度としての交換価値の分析を深めることをつぎの課題としたわけです。

　このように、分業→貨幣→商品価値へと分析をすすめたところにスミスの独自性がありますが、そのために貨幣論が中途半端に終わってしまったことも否定できません。なぜならば、交換用具として貨幣が欠かせないというかぎりでしか貨幣が論じられず、結局、交換価値の原理をきめるのは商品交換そのものにほかならないという文脈で終わってしまっているからです。これでは貨幣の機能は現実に照らしてもきわめて消極的にしか位置づけられていないことは明らかです。スミスはスチュアートに代表される重商主義体系が貨幣を政策的のみならず理論的にも重視したことへ反発するあまり、逆にその過小評価に陥ってしまいました。

リカードも含めて古典経済学に共通するこの弱点を克服することは、のちのマルクス（およびケインズ）の課題とされますが、マルクスはスミスと逆に商品価値から貨幣へと議論を展開します。この方法によって貨幣のもつ重要な意味がより深くつかまえられることとなります。なぜならば、貨幣が交換用具であるばかりでなく、交換価値の担い手として一人歩きをはじめ、その威力を発揮している現実がより的確に把握されうるからです。お金が何よりものをいう社会のあり方をスミスは鋭く批判しようとしましたが、逆にそのきびしい現実から目をそらしてしまったといえるでしょう。

4　商品の実質価格と名目価格

▼交換価値の真の尺度

あらゆる人は、生活の必需品、便益品、娯楽品をどの程度に享受できるかに応じて富んでいたり貧しかったりします。いったん、分業が徹底して行なわれると、ある人が自分の労働で充足しうるのはごくわずかにすぎず、その圧倒的大部分を他の人びとの労働からひき出さなければなりません。つまり、かれが支配しうる労働量、購買しうる労働量に応じて富んでいたり貧しかったりするのです。したがって、この場合の商品の価値は、その商品がかれに購買させ、支配させることのできる労働の量に等しく、それゆえ、「労働はいっさいの商品の交換価値の実質的尺度」なのであります。

あらゆるものの実質価格《リアル・プライス》、つまり、あらゆるものがそれを獲得しようと欲する人に実質的に費やさせるものは、それを獲得するための労苦《トイル》や煩労《トラブル》であります。それを獲得して売りさばいたり、他のものと交換したりしようと欲する人にとって、それが実質的にどれほどの値いがあるかというと、それがかれ自身に節約させることのできる労苦や煩労であり、またそれが他の人びとに課しうる労苦や煩労であります。貨幣または財貨で買われるものは、われわれが自分の身体を労苦させることによって獲得しうるものとまったく同様に、労働によって購買されるのです。貨幣または財貨は、事実上この労苦をわれわれから省いてくれます。これらの貨幣または財貨は、労働の一定量の価値をふくんでおり、われわれはそのとき、それらをこれと等しい労働量の価値をふくむと考えられるものと交換するのです。「労働こそは、最初の価格、つまりいっさいのものに支払われた本源的な購買貨幣であった」のです。世界のいっさいの富が最初に購買されたのは、金または銀によってではなく、労働によってであって、富を所有している人びとにとってのその価値は、それがかれらに購買・支配させることのできる労働の量に正確に等しいのです。

「富とは力《パワー》なり」とホッブズはいいましたが、大財産を獲得または相続する人が、必ずしも政治権力を獲得または相続するとはかぎりません。その手段を与えられるとはいえますが、必ずそれがもたらされるとはいえません。財産の所有が、ただちに、しかも直接にかれにもたらす力は、購買力、すなわち、そのときその市場にあるいっさいの労働、いっさいの労働生産物に対する一定の支配であります。かれの財産の大小は、この力の大きさに正確に比例します。「あらゆるものの交換価値は、それがその所有者にもたらすこの力の大きさにつねに正確に等しいにちがいない」のです。

▼投下労働と支配労働

前項の三つのパラグラフは『国富論』第一篇第五章冒頭の三パラグラフをほとんどそのまま紹介したものですが、ここには非常に重要な理論的諸問題が提起されています。まず第一に、その分業論の当然の帰結として、労働が富の源泉だという観点が、第二パラグラフはもとより第一パラグラフにおいても、前提されているということです。そして第二に、自分の労働生産物の大部分は交換の対象とされるのがスミスのいう分業の本性ですから、それの交換価値はそれが他人の労働＝労働生産物をどれほど支配＝購買できるかということによって測られます。したがって、第三に、あらゆるものの実質価格はそれを作るための労苦と煩労だという考え方が導き出されます。労苦と煩労を費やした度合いによって、他人の労働への支配量が左右されることになります。そこで、ふつうは、この労苦と煩労の度合いを「投下労働量」と呼び、他方の「支配労働量」と区別します。スミスによれば、前者は価値の源泉であり、後者は価値の尺度と考えられています。この区別は、すぐあとで重要な問題をはらんできますが、いまの文脈のなかでは、独立の商品生産者間の分業と交換がとりあげられていますので、投下労働量と支配労働量とが等しくなります。

ただ、スミスの投下労働価値論が、のちにこれを全面的に展開したマルクスと比べて異なるのは、労働を「労苦と煩労」という日常的な感覚でとらえていることです。それが、肉体的・精神的なエネルギーの支出であるというかぎりでは、マルクスの「抽象的人間労働」の把握と通ずるところもありますが、他方では、労働は苦痛でわずらわしいものという感覚が込められているこの用語は、労働を正常な生命活動とみなすマルクスの見方と異なります。ここに、市民社会の経験的事実をそのまま理論化しようとしたスミスと、市民社会そのものをのりこえようとしたマルクスとの相違が示されています。

つぎに、「富とは力なり」というホッブズの命題についてですが、スミスはこれを受けとめながら、中身をくり抜いてそこに支配労働価値論を盛り込みます。富の本質は他人の労働を支配する力を有するところにあるという鋭い洞察が込められています。富というものがこのような恐るべき力をもつからこそ、その性質と原因を究明しなければならないというのが、この書物の表題にこめられたひとつの意味ではないかと思われます。

▼市場のかけひき

自分の労働生産物としての商品の交換価値の実質的尺度が支配労働量によって示されるとしますと、そのばあい、支配されるべき他の商品生産者の労働量は何を単位として測られるのかが明らかにされなければなりません。労働時間がもっとも簡単な尺度となりますが、しかしこのばあいに、交換される二つの商品を作るそれぞれの労働が必ずしも時間だけで比較されうるとはかぎりません。同じ労働時間でも一方の複雑さが二倍であれば、それは二倍の労働時間をかけたことと同じ意味をもつといえるでしょう。習得するのに一〇年の労働がかかる職業に一時間励む方が、ありきたりのやさしい仕事に一ヵ月かけるよりもいっそう多くの労働がいるかもしれません。実際には、異なった種類の労働のさまざまな生産物を相互に交換するばあい、両方についていくらかの斟酌《しんしゃく》が加えられるのが普通です。といっても、それはある正確な尺度によってではなく、正確ではなくても日常生活の業務を処理してゆくには十分なおよその同等性を目安にして、「市場のかけひきや交渉によって調整される」とスミスはいいます。

交換的市場機構は私的所有制度のうえに成り立っていますが、のちにこれをのりこえようとしたマルクスは、価値の実体としての抽象的人間労働とそれにもとづく社会的必要労働時間という考え方にもとづいて、複雑労働を単純労働に還元します。私的所有制度そのものを暗黙のうちに前提しているスミスは、それに対して、市場機能そのもののなかに異種労働の価値評価の論拠を求めてしまいます。これは、現存するものを前提する経験論的な方法の避けがたい宿命といえるでしょう。

▼**金銀は不変の価値尺度でない**

価値尺度機能が市場機構にゆだねられてしまいますと、実際の交換は売買によって行なわれていますから、けっきょくは交換される貨幣量によって商品の交換価値は測られるということになってしまいます。ところが、すでに明らかにされましたように、貨幣も労働生産物＝商品としての金銀にほかなりませんから、それ自体が不変の価値尺度ではありえず、金銀鉱山の新発見などによって、金銀を発掘するための生産条件すなわち投下労働量がかなり変化します。実際に、一六世紀にペルーやポトシでの銀山の発見は、ヨーロッパの金銀の価値を三分の一に引き下げたといわれます。

このように、それ自身の価値がたえず変動するような商品は、他の諸商品の価値の正確な尺度とはなりえません。ところが、等量の労働というものは、労働者にとっては、時と場所のいかんを問わず、等しい価値（value）である、とされます。健康、体力、精神が普通の状態で、また熟練と技能が通常の程度であれば、労働者は、等量の労働に対してはつねに、「自分の安楽、自由、幸福の同一量を犠牲にしなければならない」といいます。ここには労働を不自由、不効用とのみ考える市民社会の現実が前提されているという問題点があるばかりでなく、労働者にとっては、等量の労働が時・場所を問わず等しい価値であるということの意味が問われてしかるべきでしょう。すなわち、「労働者」という言葉によって、独立商品生産者を意味するだけでなく、むしろ他人に雇われる賃銀労働者に論点が移しかえられていることが示されています。前者にとっての労働の価値とは自己の労働生産物のすべてを意味しますが、後者にとっての労働の価値とは、のちにリカードさらにマルクスが明らかにするように、賃銀に現わされる労働力商品の価値を意味するものにほかなりません。

▼穀物と貨幣――「労働の時価」の尺度

スミスは、等量の労働は、労働者にとっては同一量の犠牲を意味するから等しい価値であるとみなしましたが、労働者を雇用する者（資本家）にとっては、等量の労働もそれと交換に与えられる財貨の価格変動によって、大いに変化しうる、といいます。ここでは、「労働の価値」という用語によって、労働力商品の価格としての賃銀が意味されます。したがって、そういう条件のもとでは、諸商品と同じように労働も実質価格と名目価格とに区別されなければならないことになります。

たとえば、地代が穀物で納められるばあいと、貨幣で納められるばあいとを比較しますと、一五七六年からの二〇〇年間に貨幣地代は約四分の一に低下してしまいました。したがって、このように遠くへだたった時点で等量の労働を購買するには、等量の金銀をもってするよりは、労働者の生活資料である穀物の等量をもってする方が、いっそう労働の量に近いものを購買できます。すなわち、等量の穀物によって、その所有者は、他の人々の労働の同一量に近いものを購買・支配することができます。ところが、穀物地代の実質価値は、世紀から世紀にかけての変動では貨幣地代のそれに比べてはるかに少ないとはいえ、年々の変動は作柄の変化によってずっと大きくなります。それゆえ、「労働が唯一の正確で普遍的な価値尺度」であり、いついかなるところでも、さまざまな商品の価値を比較することのできる「唯一の標準」だとみなされます。ただし、同一の時と所では、すべての商品の実質価格と名目価格は相互に正確に比例していますので、貨幣がすべての商品の実質的交換価値の正確な尺度とされます。それに対して、さまざまな時と所におけるある特定商品の実質価値を比較するばあいは、銀でなく支配労働量で比較しなければならない、とスミスはいいますが、そのばあい労働の時価が正確にわかることはめったにありえませんので、一般によく知られている穀物の時価で満足するほかはない、なぜならばそれは労働の時価にもっとも近似的だからだとされます。

スミスは、このような銀と穀物との価値尺度としての有効性の比較を、第一篇第一一章の余論においても、詳細かつ実証的に行なっていますが、そのことと労働価値論の構想とが、いま述べたことと同様に、深いかかわりを内包しているように思われます。

5　商品の価格の構成部分は何か

▼未開社会の商品交換

資本の蓄積と土地の占有にさきだつ初期未開の社会状態においては、種々の物の獲得に必要な労働量の比率が、これらの物を相互に交換するためのルールを可能とする唯一の事情であったと思われます。たとえば、狩猟民族のあいだで、一匹の海狸（ビーヴァー）を仕留めるのに、一頭の鹿を仕留める労働の二倍の時間が費やされるとしますと、海狸一匹は、とうぜん、鹿二頭と交換されなければなりません。もしある種の労働が他の労働よりもきびしいばあい、あるいは、より複雑なばあいには、人びとはそのような労苦や才能を高く評価して、そうした労働の生産物にたいして、それに用いられた時間に相当する価値以上のものをとうぜん与えるでしょう。そのような才能は、長期にわたる勤勉の結果でなければ身につけることができませんから、この才能の生産物がもつ高い価値は、それを身につけるために費やされた時間と労働とにたいする妥当な報償にほかなりません。そして、このような未開社会と区別される文明社会においては、この種の斟酌《しんしゃく》が労働の賃銀についてもなされます。こうした未開状態においては、「労働の全生産物は労働者に属する」ので投下労働量と支配労働量は完全に一致します。

▼資本蓄積と利潤

資本《ストック》が特定の人びとの手に蓄積されるようになりますと、かれらのうちのある者は、とうぜんそれを用いて、勤勉な人びとを仕事に就かせるでしょう。そしてかれらは、その人びとに原料と生活資料を供給して、その製作物を販売することによって、つまり、「その人びとの労働が原料の価値に付加するものによって、利潤をあげる」ことを企てます。このような製品が交換に供されるばあいには、こういう冒険に自分の資本を思いきって投じるこの企業家にたいしても、その利潤が与えられなければならない、とスミスはいいます。「それゆえ、職人たちが原料に付加する価値は、このばあい、二つの部分に分かれるのであって、そのひとつは、かれらの賃銀を支払い、他のひとつは、かれらの雇主が前払いした原料と賃銀との全資本にたいする雇主の利潤を支払う」のです。雇主がこのような利潤を期待できなければ、かれは、職人たちを雇うことにも、また小さい資本より大きい資本を使用することにも、なんの関心ももてないはずだとされます。

資本と経営がまだ分離していなかったスミスの時代には、資本の利潤と監督労働の賃銀とが混同されがちでしたが、スミスは、この両者を原理的に異なるものとして明確に区別します。この区別が第一篇後半の分配論の主題とされますが、このように利潤を明確にとらえたことが、経済学史における『国富論』の最大の貢献のひとつといえます。と同時に、資本家の関心を経験的事実として是認することによって、本来、問われるべきものとしての資本の存在そのものとそれを基礎づける私的所有制度とがあらかじめ前提とされてしまいます。

▼価値と価格

スミスは、利潤と賃銀を区別する分かりやすい例をつぎのようにあげています。二つの異なる製造業において、各二〇人の職人を雇用して年三〇〇ポンドずつの賃銀総額を支払うとします。一方の製造所では年々加工される粗悪な原料に七〇〇ポンドかかるのに、他方の製造所では良質の原料に七、〇〇〇ポンドを要するとします。このばあい、年間に、前者では一、〇〇〇ポンド、後者では七、三〇〇ポンドの資本が投下されます。一〇%の利潤率とすれば、前者の利潤は、約一〇〇ポンド、後者の利潤は約七三〇ポンドになります。このばあい、監督労働は同一とされていますから、したがって、利潤は賃銀とはまったく別の原理によって決定されているとみなされます。

こういう事態のもとでは、労働の全生産物は必ずしも労働者に属するとはかぎらず、かれはかれを雇用する資本の所有者とそれを分けあわなければならなくなります。スミスは「ある商品の獲得または生産にふつう用いられる労働の量は、その商品がふつう購買し、支配し、またはこれと交換されるべき労働の量を規制できる唯一の事情ではなくなる」といいます。このように、諸商品の価格において、資本の利潤は独自の構成部分をなすことになります。

つまり、先の例でいえば、同じ二〇人の労働が用いられても、労働による付加価値として利潤量が等しくならず、投下資本量の相違を唯一の根拠にして利潤量が異なるわけですから、もはや雇用された労働量はその製品が支配すべき労働量を必ずしも規制しないことになります。このようにして、スミスは投下労働価値論を放棄してしまったようにみえますが、「労働が価値を付加する」とか「労働の全生産物」という認識を堅持しており、利潤は商品価格の「構成部分」（初版では「価値の一源泉」）と規定されています。その意味で、スミスにおける投下労働価値論と支配労働価値論の関係は、価値と価格の関係に対応するということができます。スミスにおいては、利潤がいきなり前提されてしまったところにみられますように、価値と価格が十分にはつながられず、この二つの原理が並存しているところに問題が残されます。のちに、リカードは、この並存を批判して、投下労働価値論の観点から両者を強引に統一させようとしますが、逆にこの区別の意味が見失われてしまい、マルクスが再度この課題に挑戦し、克服することになります。

▼価格の三つの構成部分――賃銀・利潤・地代

どんな国でも、その土地が私有財産になりますと、地主たちは、自分たちが種子もまきはしなかった所で収益を得たがり、地代を要求します。そこで、「労働者」は、自分の労働で生産したものの一部を地主に引き渡さなければなりません。この部分またはその価格が、土地の地代を構成します。そして、賃銀、利潤および地代が商品価格の三つの構成部分をなし、そのおのおのの実質価値は、そのおのおのが購買・支配しうる労働量によって測られます。価格の構成部分には、このほかに、第四の部分として、固定資本の維持や原料の更新のための費用があげられますが、スミスによれば、この部分も直接にかまたは究極的には、賃銀、利潤、地代の三部分に還元されます。なお、この問題点については、本書第II章でくわしくとりあげることにします。

個々の商品はすべてこの三部分、もしくはそのどれかひとつか、二つに分かれるとしますと、あらゆる国の労働の年々の全生産物を構成しているすべての商品の価格も、同じ三部分に分かれて、国民のあいだに、労働の賃銀、資本の利潤、土地の地代として分配されることになります。このようにして、あらゆる社会の全生産物もしくはその全価格は、そのさまざまな成員のうちのあるもののあいだにまず最初に分配されます。その意味で、賃銀と利潤と地代は、すべての収入の三つの基本的な源泉となり、利子とか租税など他のすべての収入は、けっきょく、これらのうちのどれかから派生することになります。

文明国では、その交換価値が労働（賃銀）だけから生じるような商品はほんのわずかであって、ほとんど大部分の交換価値には、地代と利潤が大きく寄与しているとみなされます。したがって、「その国の労働の年々の生産物は、つねに、その生産物を産出し、調整し、市場に運ぶのに用いられた労働よりもはるかに多量の労働を購買または支配するに足りるであろう」と述べて、スミスは資本蓄積の根拠をその支配労働論に置いたのであります。

6　商品の自然価格と市場価格

▼賃銀・利潤・地代の自然率

商品の内的な価値・価格分析をこのように行なったスミスは、ついで第七章において、いわば諸資本の競争という条件のもとにおかれた諸商品の市場価格と自然価格との関係を論じます。

スミスによれば、どのような社会ないし地域にも、労働と資本の異なる用途ごとに、賃銀と利潤についての通常率または平均率というものがあるといいます。この率は、のちに明らかにされますように、社会の発展の度合いその他の事情によって規定されています。同じように、地代にも通常率・平均率があります。そしてこれらの通常率・平均率を賃銀・利潤・地代の自然率と名づけます。ある商品の価格が、それを産出し調整し市場に運ぶのに用いられた土地の地代、労働の賃銀、資本の利潤を、それらの自然率にしたがって支払うのにちょうど過不足ないばあいには、その商品は自然価格《ナチユラル・プライス》とも呼ばれるべきもので売られます。このばあいには、その商品は正確にその値いどおりに、すなわち、その商品を市場へもたらす人が実際に費やしただけの値いで売られます。そのわけは、いわゆる商品原価には、それをふたたび売るべき人の利潤は含まれていないとしても、もしかれが自分の近隣の通常率の利潤もみこめないほどの価格でそれを売れば、この取引で損をするのは明白だからです。もしかれがその資本をなにか他の方法で使用すれば、それだけの利潤をあげたかもしれないからだとスミスはいいます。

ここには、序論で明らかにしたように、スミスの道徳哲学で展開された「同感」の原理が、資本所有者の利害関心についてゆき、その是非を判断するという観点のなかに生かされていま す。このばあい、スミスはケネーと同様に、利潤の自然率を是認する根拠を、その資本所有者の生存のための元本《ファンド》という性質に求めています。このような考え方は、第二篇では、資本蓄積の原動力が資本所有者の節約に求められるところにも示されています。このように利潤という所与のものを前提してしまいますと、投下労働価値論を説いたことと矛盾を来すことになることは、のちのリカード派社会主義者たちによって示されます。しかしスミスの課題はそこにではなく、利潤の自然率を長期的に上まわる独占的利潤のあり方の批判に設定されることはのちにみるとおりです。

▼有効需要と市場価格

どんな商品でも、それがふつうに売られる現実の価格は、その市場価格《マーケット・プライス》と呼ばれます。市場価格は、自然価格を上まわるか、下まわるか、ちょうど一致するか、のいずれかだとされます。「あらゆる特定の商品の市場価格は、現実にそれが市場へもたらされる量と、その商品の自然価格、すなわちそれをそこへもたらすために支払われなければならない地代と労働と利潤との全価値を支払う意思のある人たちの需要との割合によって規制され」ます。このような人びとの需要は、この商品を市場へもたらすことを有効にするのに十分だという意味で、「有効需要」と名づけられ、たんなる欲求とは区別されます。この有効需要という言葉は、今世紀にケインズによって使われたため、脚光を浴びるに至りますが、スミスより前にスチュアートによってすでにいっそう正確に使われておりました。

市場にもたらされる商品の数量が有効需要に足りないばあい、その商品の自然価格を支払う意思のある人びとすべてが、かれらの欲するだけの数量を供給されることはできません。そこでかれらのうちのあるものは、もっと多く支払ってもそれを手に入れようとしますから、競争がおこり、そして市場価格が自然価格を上まわることになります。その程度は、その商品の不足の度合いだけでなく、競争者たちの置かれた条件やその商品のもつ重要性いかんによってかなり異なります。これとは逆に、市場にもたらされる数量が有効需要を超過するばあいには、その商品の自然価格を支払う意思のある人びとに、その全部が売りさばかれず、一部分は、それ以下でなら支払う意思のある人びとに売られます。そのために全体の価格が引き下げられ、市場価格が自然価格を下まわることになります。そのばあい、腐敗しやすさの度合いによって、その商品の売手の競争の激しさが左右されます。

▼競争と市場価格の変動

市場にもたらされる量がちょうど有効需要を充足しているばあいには、市場価格は自然価格と同一かほとんど同一に近くなります。さまざまな商人のあいだの競争によって、かれらはみないやおうなしにこの価格を承認せざるをえなくなります。そして「市場へもたらされる商品の量は、自然に有効需要に適合する」とスミスはみなします。もしその量が有効需要を超過するならば、その価格の構成部分のあるものは、自然率以下で支払われるにちがいありません。もしそれが地代であれば、地主たちは自分の利害関心に促されて土地の一部をその事業から引きあげるでしょう。またそれが賃銀か利潤であるなら、やはり労働者、雇主はそれぞれの利害関心に促されて、労働なり資本なりの一部をその事業から引きあげることになります。こうして、市場にもたらされる数量は、やがて有効需要をちょうど充足するだけになり、その価格の構成部分のすべては、その自然率まで上昇し、そして全価格はその自然価格まで上昇することになります。これに反して、もし市場にもたらされる量が有効需要に足りないならば、いま述べたこととちょうど逆の現象が生じます。

それゆえ、「自然価格は、いわばいっさいの商品の価格がたえずそれにひきつけられている中心価格である」とされます。

このようなスミスの議論にみられるひとつの特徴は、自由競争の条件のなかで、労働の移動と資本のそれとが対等に論じられているということです。約四〇年後にリカードは利潤率の相違に伴う資本の移動を軸にして議論を展開しますが、スミスのばあいは、典型的な資本・賃労働関係が確立される以前、つまり産業革命初期の段階にあって、労働の移動と資本の移動とが、必ずしも後者の一方的な主導権のもとに行なわれるのではない仕方で論じられています。先の価値論における投下労働と支配労働との並存関係も、このような見方とけっして無縁ではありません。このことは、つぎの賃銀論のところでも検討することにします。

また、市場価格と自然価格の理論に関しては、前者が同一産業部門内の同一商品の問題であるのに対して、後者は異種産業部門すべての諸商品の生産価格（マルクス）の問題であるはずですが、スミスもリカードもまだこの区別を明確には行なっておりません。

▼競争が制限されるばあい

このように、有効需要によって価格の動きが規定されるということは、スミスによれば、「ある商品を市場へもたらすために年々用いられる勤労《インダストリー》の全量は、自然にそれ自体を有効需要に適合させる」ことを意味します。完全に自由な条件のもとにおいては、この需要は正確に充足されます。ところが、実際には、多くの商品の市場価格が長期間にわたって自然価格をはるかに上まわったままに維持されることがあります。スミスは、その原因として、第一に、特定の偶然事、第二に、自然的原因、第三に、行政上の諸法規をあげます。第一の例としてあげられるのは、商業上もしくは製造上の秘密の保持であり、これによって他の業者の競争を排除し、高価格に伴う特別利潤の享受を可能とします。第二のばあいは、非常に特異な土壌や位置を必要としている自然の生産物が有効需要を充足しないときに、永続的に高価格が維持されます。そしてフランスのぶどう園の例があげられますが、このばあい、賃銀と利潤が自然率を上まわることはめったになく、高価格の結果は地代として享受されることになります。第三の例としてあげられるのは独占ですが、これは第一の秘密の保持のばあいと同一の効果をもちます。

「独占価格はあらゆるばあいに獲得しうる最高の価格である」と言っているように、スミスはこれにもっとも鋭い批判を浴びせます。そして同業組合の排他的諸特権をはじめ競争を抑制するいっさいの法律が、その程度は劣るにしても独占と同一の傾向をもつものとして、重商主義批判のための伏線が張られていきます。

これに対して、ある商品の市場価格が長期にわたって自然価格を下まわることに関しては、スミスはきわめて楽観的です。つまり、そのばあいに伴う自然率以下への支払いの低下によって、土地、労働、資本のいずれかがその使途からひきあげられ、市場へもたらされるその商品の量は減少し、その市場価格はまもなく自然価格にまで上昇するとみなされます。「すくなくとも完全な自由が行なわれていたところでは、これが事実であろう」とスミスは言います。このようなスミスの楽観論は、一九世紀になると自由競争のもとでの過剰生産恐慌の反復という事実によって崩されてしまいます。また、学説史においては、シスモンディとマルサスが、スミスの楽観論にたいしていち早く疑問を投げかけることになります。

7　労働の賃銀について

▼労働生産物の分配

『国富論』第一篇の表題は「労働の生産諸力における改善の諸原因と、その生産物が国民のさまざまな階級のあいだに自然に分配される秩序について」となっています。ここに示されたように、分配論がひとつの主題とされていますが、それに該当するのが、第八〜一一章です。

まず第八章では労働の賃銀について論じられます。その冒頭で、スミスは「労働の生産物は、労働の自然的報酬すなわち自然的賃銀をかたちづくる」と言います。これは、ジョン・ロックの労働所有権の見方と相通ずるスミスの基本認識です。そして、すでに明らかにされましたように、未開状態においては労働の全生産物が「労働者」に属していました。ここに、賃銀とともに労働者という用語が使われていることに注目すべきです。なぜなら、このような見方の延長線上で文明社会の賃銀や労働者が把握されるからです。すなわち、土地が私有財産となるや、地主は、「労働者」がその土地から産出したり採集したりすることのできるほとんどすべての生産物について、その分け前を要求します。そこで地代が、土地に使用される労働の生産物からの第一の控除分となります。ここでは、労働者は借地農の意味ですし、地代が控除される源泉は労働生産物つまり自然的賃銀にほかなりません。

ロック

さらに、この土地耕作者が収穫までのあいだ、雇主の資本から生活維持費を前払いされたとしますと、雇主も土地耕作者の労働生産物の分け前にあずかろうとします。そこでこの資本の利潤が、土地に投ぜられる労働の生産物からの「第二の控除」をなします。同様に、ほかのほとんどすべての労働生産物からも利潤が控除されます。すなわち、すべての工芸や製造業では、大部分の職人は、その仕事の原料とそれが完成されるまでの生活維持費（賃銀）を前払いしてくれる親方を必要とするとスミスは言います。「親方は、職人たちの労働生産物の分け前、すなわち労働が投下される原料にその労働が付加する価値の分け前にあずかるのであって、この分け前こそ、かれの利潤なのである」とされます（当時のヨーロッパでは、親方一人に対して職人二〇人が普通であったとみなされます）。ここでは、スミスは明らかに投下労働価値論の視点に立っていますが、この観点をもとに労働生産物の分配の秩序が究明されます。

▼親方と職人との契約

ふつうは、労働の賃銀という言葉は、労働者とかれを雇用する資本の所有者とが別人であるときに限って用いられます。そこで、賃銀は、その関係する両当事者の間で結ばれる契約のいかんによります。職人たちはできるだけ多くを得ようとし、親方はできるだけ少なく与えようとします。そこで両者はそれぞれの目的を果たすために互いに団結しようとします。ところが、ここでのスミスの現実認識は親方にきびしく、職人に同情的です。たとえば、親方の団結を禁止する法令はぜんぜんないのに、職人の団結を禁止する法令はたくさんあると言います。また、争議がこじれたばあいにも、親方は豊かな生活資金をもっていますが、職人は長期間もちこたえることはできません。世論もめったに職人の団結に味方しません。ところが、親方たちは、いつどこにあっても、密議をこらして「労働の賃銀を現在の率以上に高くしないようにしてい

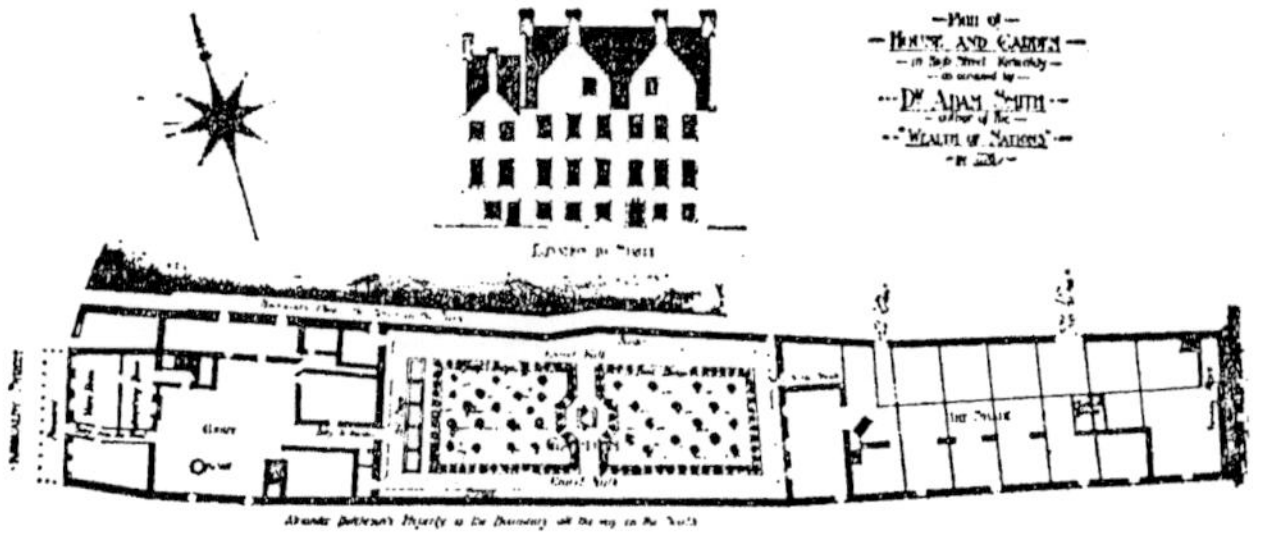

スミスの生家の平面図

る」と言います。かりに争議が泥沼状態になっても、親方は官憲の援助を求めたり、法律を厳格に適用することによって職人の抵抗をおさえつけてしまうのがつねであったとされます。このくだりはしばしば引用されるところですが、スミスの生き生きとした原文に読者が自らあたって味読されることを切望します。

▼賃銀の最低率

親方が職人にたいして有利な地位に置かれているとしても、賃銀には「普通の人道にかなった最低の率」があって、賃銀をかなりの期間にわたって、この率以下に引き下げておくことはできません。なぜならば、「人間はつねに生きてゆかなければならないし、かれの賃銀は少なくともかれの生活を維持するに足りるものでなければならない。いや、たいていのばあい、賃銀はこれよりいくぶん多くさえなければならない。そうでないと、家族の扶養ということが労働者にとって不可能となり、職人たちの家族は一代かぎりになってしまう」からです。したがって、家族の生活資料が賃銀の最低率にほかなりません。この最低率よりもかなり高く賃銀が引き上げられるのは、「賃銀によって生活する人びとにたいする需要がたえず増加しているばあい」です。しかも、この需要は、賃銀の支払いにあてられる基金（ファンド）の増加に比例するよりほかには増加しようがないとされます。したがって、それはあらゆる国の収入と資本の増加、つまり国富の増加に比例することになります。

そこで問題になるのは、この賃銀の最低率とその自然率との関係です。スミスが賃銀を論ずるのは商品の自然価格の一構成部分としての賃銀の自然率を究めるためであったはずです。とすると、この最低率が自然率を意味するのかというと必ずしもそうではありません。リカードはそれらを同一視したために、のちの賃銀基金説の源流とされますが、スミスは、社会の貧富やその進歩、停滞、衰退のいかんによって賃銀の自然率そのものが変動すると言います。同じことは、利潤、地代についても妥当します。そこで第八章以下の分配論の主題は、これらの自然率そのもののさまざまな変動の原因を実証的に明らかにすることに設定されます。この部分で、モンテスキュー『法の精神』を想起させる歴史分析や国際比較の手法が駆使されているのは、このような理由によるものと思われます。と同時に、そのことが、賃銀という近代的範疇《はんちゅう》をまだ前近代的な中国やインドにも適用するという問題点をはらむことになります。

ここでスミスが言わんとすることは、要するに、賃銀の変動が人口の推移と食糧価格の高低との相関関係を有するということです。当時、モンテスキューをはじめ、ヒューム、ウォーレス、スチュアート等によって、文明の発展と人口の推移との関連がさかんに議論されていましたが、スミスは、その賃銀論によって、この混迷した論争にひとつの結着をつけます。また、それは、のちのリカードとマルサスの論争のひとつのたたき台とされることにもなります。

▼高賃銀の経済論

スミスの賃銀論の特徴は、重商主義のいわゆる「低賃銀の経済」論にたいして、デフォー、ヴァンダーリント、ヒューム、タッカー等の先駆者を有する「高賃銀の経済」論を説いていることです。前者の主張は、低賃銀こそが労働者の怠惰を解消させ、労働力の供給を増加させる効果をもつとし、それを政策指針とする国富の増進を狙いとしていました。それにたいして後者の見解によれば、賃銀は収入と資本の増加つまり国富の増加に比例した労働者への需要の増加によっていわば必然的に高まるわけですから、そこへの政策的介入は無意味になります。しかも、高賃銀によって、いっそう人口が増加し、労働者の勤労意欲も高まると考えるのが当然であるとして、それを可能とする発展的社会への展望が与えられます。

そしてスミスは言います。「人民全体を食べさせ、着させ、住まわせる人びとが、自分自身もまたかなり十分に食べたり、着たり、住んだりしうるだけの、自分自身の労働の生産物の分け前にあずかるということは、まったく衡平(equity)というほかはない」と。ここに、ロック流の労働所有権の思想がうかがわれると同時に、「衡平」が、ホッブズにおいては「傲慢」の対立概念をなすものとして自然法のひとつに掲げられていたことを想起すべきでしょう。ところが、他方では、このような高賃銀を可能とするものが資本蓄積の累進にほかならなかったわけですし、労働所有権も私的所有に基礎づけられていましたから、ここでも、投下労働価値論と支配労働価値論との二面性がつきまとうことになります。

もちろん、スミスはこの二面性を矛盾とみなしたわけではなく、むしろ両者を並存させることによって、重商主義の狭隘な観点をのりこえていきます。第八章の末尾にはスミスのそのような見方が集約されています。すなわち、高賃銀が、かりに高物価をもたらすとしても、高賃銀を可能とした同一の原因、つまり資本の増加は、労働生産力を増進させ、より少量の労働でより多量の生産物をもたらします。そして冒頭の分業論で明らかにされましたように、分業の進展は機械の導入を促進します。そのことは、一企業のみならず、社会全体にも妥当しますから、「こういう改善の結果として、多くの商品が従来よりもずっとわずかな労働によって生産されるようになり、労働の価格の騰貴を相殺してあまりあるほどになる」と言うのです。つまり、高賃銀にもかかわらず、利潤は十分に増加しうるとされます。ここには、投下労働価値論にもとづく「相対的剰余価値」(マルクス)の認識の萌芽すら認められますが、スミスの叙述はここで止まってしまいます。

8 資本《ストック》の利潤について

▼利潤率と利子率

賃銀の自然率を確定することが容易でないことは、前節でみたとおりですが、利潤の自然率

モンテスキュー

となると、さらにいっそう困難視されます。一般的には、利潤の上昇・下落は、賃銀のばあいと同じく、社会の富の増進いかんに左右されます。ところが、資本の増加そのものは、賃銀を騰貴させるのと逆に、競争の激化によって利潤率を引き下げる傾向があります。また、日常的な賃銀水準を推測することはできても、利潤についてはそれも不可能だとされます。商品価格の変動をはじめ、変動要因が多すぎるからです。そこでスミスは、利潤率そのものに代えて利子率をもって、平均利潤を推測する根拠にします。

すでに、スミスは第六章において、利子が利潤から派生する収入であることを明言していました。つまり、資本からそれを管理または使用する人によって引き出される収入が利潤と呼ばれるのにたいして、自分では資本を使用しないで、それを他人に貸し付ける人がその資本から引き出す収入が利子と呼ばれます。利子は、「借手が貸手に支払うものであり、借手がその貨幣の使用によって儲けることのできる利潤にたいする報償」とみなされます。利潤と利子とのこのような因果関係の認識にもとづいて、スミスは、第九章で利子率に関する実証分析を縦横に行ないます。その先駆者の一人であるモンテスキューからも引用されています。そこから得られるひとつの結論は、富の増進つまり資本の増加はたしかに利子率を低下させてきたということ、それとは逆に、資本の減少は利潤率と利子率をひきあげるということです。また、スミスは、イギリスでは利潤率は利子率の二倍が妥当とされているという例をあげ、自らもこれに賛意を表明します。そのわけは、資本にまつわる危険は借手が負担すること、また、資本を使用するわずらわしさへの報償が利潤には含まれることにあるとされます。

第九章の最終パラグラフは第二版(一七七八年)で追加されましたが、ここでスミスは「高利潤は高賃銀よりも製品の価格を大きく引き上げる傾向がある」と述べて、高利潤にたいして警告を発します。物価上昇に及ぼす影響のしかたが、賃銀のばあい単利計算のようであるのにたいして、利潤のばあい複利計算のようであるといいます。

「わが商人たちや製造業者たちは、高賃銀が価格を引き上げる点で悪効果をもたらし、そのために自分たちの財貨の売行きが国の内外で減ってくる、と不平を鳴らしているが、しかもかれらは、高利潤の悪効果については、黙して語らない。かれらは、自分たちの利得の有害な効果については沈黙を守り、ただ、他人の利得についてだけ不平をいう」とスミスは批判しています。

▼職業の性質から生じる不均等

第一〇章は「労働と資本の種々な用途における賃銀と利潤について」と題され、第八、九章を補足する位置を占めています。ものごとが自然の成行きにまかされ、完全な自由が確立されている社会では、各人は職業の選択も移動も自由に行なうことができます。そこで、労働と資本の用途が均等化されるはずですが、実際には、極端な不均等が生じます。それは、ひとつには職業そのものの性質から生じるものであり、もうひとつには、ヨーロッパ諸国の政策から生じたものです。

まず前者の事情が五つあげられます。第一に、賃銀の不均等はその職業の快適、清潔、名誉の度合いによって生じ、屠殺者のようにそれらのいずれとも反対の性質を有する職業ほど賃銀は高くなります。第二に、賃銀は、その仕事の難易や習得費の大小によって不均等になります。第三に、その就業の恒常性いかんが賃銀の高さを左右します。たとえば、天候に依存する屋外作業の賃銀は比較的高く支払われます。第四に、賃銀は、その職人に寄せられる社会の信頼の度合いによって不均等になります。医師の報酬が高いのは、その手腕にこめられた教育の時間と費用のためばかりでなく、われわれが自己の健康をあずける信頼によるものとみなされます。第五に、賃銀は、その職業における成功の可能性と世間の賞賛の有無によって不均等になります。宝くじに当たった人は空くじを買った人たちが失った分の何がしかを取り返しますが、それと似たことが、競争率が高くしかも資格を得るのに時間と経費のかかる弁護士のような職業の高収入に妥当します。しかし、スミスにいわせると、法律家という職業は、その志願者のすべてが支出した労力と経費の総計と比べれば、その収入という点だけからいえば割の合わないものとされます。学者や芸術家にも同じことが当てはまりますが、これらの割に合わない職業がつねに好まれるのは、名声への欲求と才能への自信に起因します。そしてそのような傑出した才能への世の賞賛がそれらの職業の報酬の格差をさらに生じさせます。また、その才能を金儲けのために行使するような優れた芸術家は、それに伴う不名誉を償うものとしていっそう高い報酬を与えられるというわけです。

なお、利潤については、第一の場合を除けば、ほとんど不均等を生ずることはないとされます。

▼政策による不均等

ヨーロッパの政策によってひきおこされる不均等はいっそう重大であって、それは三つの方法によります。第一は、ある職業における競争を制限すること、第二は、他の職業での競争をむやみに増大させること、第三は、労働と資本の自由な流通を妨げること、です。それらの事例としては、第一に、同業組合や徒弟条例が、第二に、聖職者養成のための各種の助成策が、第三に、第一の事例に加えて救貧法や定住法が、あげられます。それらに共通する弊害は、価格体系が不自然になることによって、分配の構造が歪められてしまうことだとされます。

とくに、第一の場合、都市に集中している商人・製造業者によって結成される同業組合が、さもない場合よりも競争を排除することによって、物価を引き上げること、しかもその高物価が消費者、とくに農民の負担に転嫁されることが指摘されます。そのことは、とりもなおさず、都市のより少ない労働によって農村のより多い労働の生産物が購買されることを意味します。都市と農村とのあいだの「自然的平等」がこのような人為的規制によって破壊されてしまいます。「社会の労働の年々の全生産物は、これら二つの異なった社会の人びとのあいだに分配される。ところが、これらの規制があるために、それがない場合に都市の住民に帰するであろうよりも大きい分け前がかれらに与えられ、農村の住民にはより小さい分け前が与えられ」ます。

加えて、スミスは、農作業が頭脳労働の点においても都市の職人の分業のそれより勝っていることを力説しつつ、第五篇に先立って分業化の欠点に言及しています。

このような都市への優遇策は、やがてそこでの資本を過剰にし、利潤率が低下することによって、農村への資本移動が促されます。この過程については、さらに第三篇で解明されます。

9　土地の地代について

▼独占価格としての地代

地代には、差額地代と絶対地代と呼ばれるものがあります。前者は、スミスと同郷のアンダースンによって『国富論』出版の翌年に理論化され、マルサスやリカードに受け継がれます。後者は、マルクスによって解明されます。経験的事実を直視しそこに法則を見出そうとしたスミスには、この両方の地代論があるように見えますが、まだ明確には理論化されていません。

スミスは、すでに賃銀と利潤を峻別したように、地代をもそれらから明確に区別します。たとえば、地主が土地改良のために資本を投下したばあいには、その地主の収入には地代だけでなくその資本にたいする利潤がふくまれます。したがって、地代とは土地を所有していることそれ自体から得られる収入であり、「土地の使用にたいして支払われる価格」とみなされます。借地人はその土地を利用して得た産物のなかから自分の投下した資本の維持費と平均的な利潤を確保した残りのすべてを地代として地主に納めます。土地を利用して何かを得るために投下された資本が、平均的な利潤率を上まわる部分を利潤として収得してしまうことは、資本の自由な移動が可能であるかぎり通常は行なわれません。したがって、地代は、土地からの産物の価格のうちで平均利潤をふくむ価格を上まわる部分から支払われることになります。

そしてそれが平均利潤をふくむ価格を上まわるか否かは、その産物の市場における需要と供給の関係に依存します。つまり、需要が供給より大きいときに、つねに地代が支払われます。その意味で、地代は、同業組合が生産を制限し、供給を需要より不足させて自然価格を上まわる独占価格を獲得するのと同じように、「ひとつの独占価格」だとみなされます。ただ、同業組合が人為的な規則によって生まれたものでスミスにより改革可能なものとして批判されたのにたいして、土地所有は、それが本来的に独占であるために、それが不当なものとしては批判されず、したがって、地代は、そのような独占価格として商品の自然価格の構成部分をなすべきものとみなされます。つまり、賃銀と利潤は価格の原因であるのにたいして、地代は価格の結果として支払われるというしかたで商品の価格の構成に入りこみます。

そこで問題になるのは、先に中心価格とみなされた自然価格における地代と、この独占価格における地代とどうかかわるのかということですが、のちにリカードは、この難題を避けるために、地代論を自然価格論の前に繰り上げます。

▼穀物地代とその他の地代

土地生産物のなかには、つねに地代を生じるものと、ときに応じて地代を生じたり生じなかったりするものとがあります。前者は、需要が供給をつねに上まわっているものであり、後者は、必ずしもそうならないものだからです。前者の例としては食糧が、後者の例としては衣と住のための土地生産物があげられます。

スミスはまず、前者の場合について論じます。「人間は、他のすべての動物と同じように、その生存手段に比例して自然に繁殖するものである。だから食物にはつねに需要がある」とされます。のちに、マルサスの『人口論』やリカードの地代論で前提とされた根本原則がここに示されています。また、供給は必ず需要を伴うとみなされたことは、先の有効需要の規定にもかかわらず、のちのセー法則の原型とされることになります。

この場合、地代は土地の豊度と位置という二つの要因によって差異が生じます。これが差額地代ですが、その場合は最劣等地には地代がありません。ところが、スミスはここでつねに地代を生じる場合について論じていますから、最劣等地にも地代があることになります。その意味で、絶対地代に相当するものも、スミスの地代論には含まれていたと考えられます。しかし、スミスはこれらを明確には規定せずに、穀産地、放牧地、ぶどう園などにおける地代のあり方を経験的に論じてゆきます。ヨーロッパでは主食とされるのは小麦ですし、小麦畑は牧草地や他の穀物畑に転用できますから、特殊な土地を除けば、小麦畑の地代が他の耕地の地代を規制するとみなされます。それにたいして、米作地のばあい、他の耕地への転用に適さないことが多く、したがって、それは他の耕地の地代を規制できないとされます。

ついで、スミスは衣と住の原料となる毛皮、材木などの地代についても論じますが、とくに重要なのは石炭、金属などを産出する鉱山の地代に関する考察です。石炭の場合は、地代はその豊度と位置に依存しますが、金属の場合は、豊度に依存し位置に依存することは、はるかに少ないとされます。穀産地とちがってこれらの産物の最劣等地には地代はありません。

ついで、スミスは穀物と銀の価値のあいだの比率の変動について論じ、「過去四世紀間における銀の価値の変動に関する余論」および「改良の進歩が製造品の実質価格に及ぼす諸効果」についての考察を行なっています。この長文の「余論」のなかには理論的再検討に値するおもしろい論点が多々ふくまれています。たとえば、一七〇七年にスコットランドがイングランドと合邦したことにより、スコットランド産の黒牛が高価で売られるようになり、その頭数が激増したことが、畜牛の糞尿を肥料として成育する穀物の産出高を増加させたことなどです。後進地域側からみた自由交易の評価がここに見出されます。

▼改良の進歩と三階級

スミスは、第一篇第一一章の結論で、賃銀、利潤、地代の収入に対応する三階級の評価を行なっています。労働の生産諸力の改善は、直接には製造品の実質価格を引き下げますが、間接には土地の実質的地代を引き上げます。それは、冒頭の分業論で説かれたように、気象条件に制約される農業よりも、その制約を受けない製造業で分業の効果が顕著であり、そこで、土地生産物からの地代がより多くの製造品と交換されうるからです。さらに、社会の富の増加は労働者人口の増加を意味しますから、食料の増産を促し、それにつれて地代も増加します。また、改良と耕作の拡大は土地の地代を直接に引き上げるとみなされます。これらに反対の諸事情はすべて実質的地代を低下させます。それゆえ、地主の利害は、「社会の一般的な利害と密接不可分にむすびついている」とされます。したがって、地主が自己の利益を促進するかぎり公共社会を誤り導くことはないとはいえ、地主は不労所得に依存するため怠惰になり無知になりやすく、公共社会を導く思考能力に欠けることにもなりやすい、とスミスはいいます。

労働者階級の利害も社会の利害と一致しますが、分業化された条件のなかでは、労働者は時間を十分に与えられないし、正しい判断を下すには不適当な人にされてしまうのがふつうである、とされています。

さいごに、利潤については、利潤率は富裕な国で低く、貧しい国で高いので、先の二階級の場合と異なって、雇主たちの利害は社会の一般的利害と密接不可分ではありません。この階級の典型として商人と親方製造業者とがあげられます。かれらは、地主と異なり、自分自身の利害について精通しており、しかも、それが社会公共の利害と一致していると錯覚して地主を説き伏せてきたので、政策的に競争を制限することによって、自然率以上に利潤を引き上げ、「自分たちの利益のために、他の同胞市民から不合理な税を取り立てる」ことになります。この階級から出てくる法律や規制に関する提案をけっして信用してはならない、なぜならば、それは、「公共社会をあざむき、抑圧さえすることを利益としている人びと」のような階級から出てくるものだからだ、とスミスは結びます。

なお、地主の評価に関しては、スミスは、第三篇で大土地所有制を終始批判し、分割相続制を説いていますので、当時から一九世紀末にいたるイギリス固有の土地制度そのものを賛美したわけではありません。また、先に高賃銀が説かれたように、スミスは三階級の存在つまり私的所有制度を認めたうえで、その枠内のぎりぎりのところまで所得分配の公平化を実現することを狙っていたといえるでしょう。そこには、もちろん、のちに批判されるべき限界がありますが、しかし意外にその射程が広いこともまた否定できない事実なのです。

II

資本と資本蓄積

〔『国富論』第二篇〕

エヂンバラのキャノンゲイト・トルブース（下），
その裏側にスミスの墓（上）がある

序論　分業と資本との関係

未開社会では分業も資財の蓄積もありません。未開人は、食べるためには狩りをし、着るためにはその動物の皮をはぎ、住むためには身近の草木を利用するでしょう。資財をあらかじめ蓄積しようとはしません。

ところが、分業の発達した社会では、人はあるひとつの生産物の生産に専念しますから、このひとつの生産物でさまざまな生活上の必要を満たすことはできません。そこでこれを生産して販売するまでのあいだ、食料や材料や道具が、自分の所有としてであれ他人の所有としてであれ、どこかにあらかじめ蓄積されていることが必要です。

だからこの資財の蓄積は、分業の発達に先行し、それを先導するものです。スミスは『国富論』第一篇では、この先行的蓄積を前提にして議論を進めてきました。この第二篇では、この前提条件をあらためてとりあげ、論じなおそうというわけです。ここに第一篇の分業論と第二篇の資本分析との関係をみることができます。

以下スミスは、第一章で資財と資本がどのような種類に分類されるかを論じ、第二章と第三章で貨幣が蓄積されて、その所有者によって直接生産に投資される場合の作用を、第四章でそれが他人に貸し付けられる場合の作用を分析し、最後に第五章で資本投下のさまざまな分野とその国富増進上の効果のちがいを論じます。

スミスは第二篇に「資財の性質、蓄積および用途について」という表題をつけていますが、この篇は、後年の理論でいわゆる再生産論・資本蓄積論の古典的原型を示しています。スミスがここで生産資本の循環と蓄積の機構を本格的に問題にしているのは、スミスが重農主義から学んだ点も多いのですが、それは第一篇の分業論や価値・価格論との密接な関連において分析されており、この点が『国富論』を資本主義の構造分析の古典たらしめるものです。

1　資財と資本の分類

▼資財と資本

スミスは、社会の総資財をたんなる資財《ストツク》と資本《キャピタル》に分け、資本をさらに固定資本と流動資本に分けます。たんなる資財は直接の個人的消費にあてられている物のうち、まだ消費しつくされないで残っている物であり、利潤も収入ももたらしません。資本はこれとちがって、利潤を獲得する目的で用いられる資財です。このようにたんなる資財と資本としての資財とは、いちおうはっきり区別されますが、ともに資財であるわけですから、スミスの論述のなかでは、二つの用語はしばしば弁別しにくいこともでてきます。第一篇には資本《ストツク》の利潤と題した章があるほどです。

しかし資本がはっきり利潤をもたらす機能によって範疇化された点は、学説史上ひとつの画期をなします。このことによって利潤が、賃銀や地代からはっきり区別され、近代社会の三大所得と三大階級の区別がはっきり表現されました。この見方はスミスに始まった見方であって、それ以前には重農主義でも重商主義でも三つの所得は混同され、したがって三大階級の区別もはっきりしませんでした。

▼固定資本と流動資本

資本のうち固定資本《フィックスト・キャピタル》は、流通することなしに、つまり主人をかえることなしに利潤をもたらす資本だとされます。流動資本《サーキュレーティング・キャピタル》の方は、流通し、主人をかえることによってのみ利潤をもたらす資本だとされます。

固定資本にはつぎのものが含まれます。

(1) 有用な機械や職業上の道具
(2) 営業用の建築物
(3) 土地の改良
(4) 労働能力

流動資本にはつぎのものが含まれます。

(1) 貨　幣
(2) 生産者や商人が売ろうとしている食料品

(3)　生産者や商人の手許にある半加工の材料
(4)　生産者や商人が売ろうとしている完製品

この資本分類のねらいはつぎの点にあります。まず流動資本のうち食料と材料と完成品は、貨幣に媒介されて販売され、直接消費向けのたんなる資財となるか、固定資本の補塡にあてられます。それらは、流通過程から個人的消費過程に出ていってしまうか、流通過程からふたたび生産過程に戻ってきて固定資本の減耗部分を補充します。食料は労働能力（固定資本！）を維持するために投じられ、材料や完成品は機械や建築物の摩損部分を補塡したり、自ら生産の素材となります。つまり固定資本は流動資本からひきだされ、これによって維持されるというわけです。スミスは重農主義に学びつつ、食料、材料、完成品の流通が、年々どのように固定資本（じつは生産資本）を維持し、再生産するかを説明しようとしているのです。

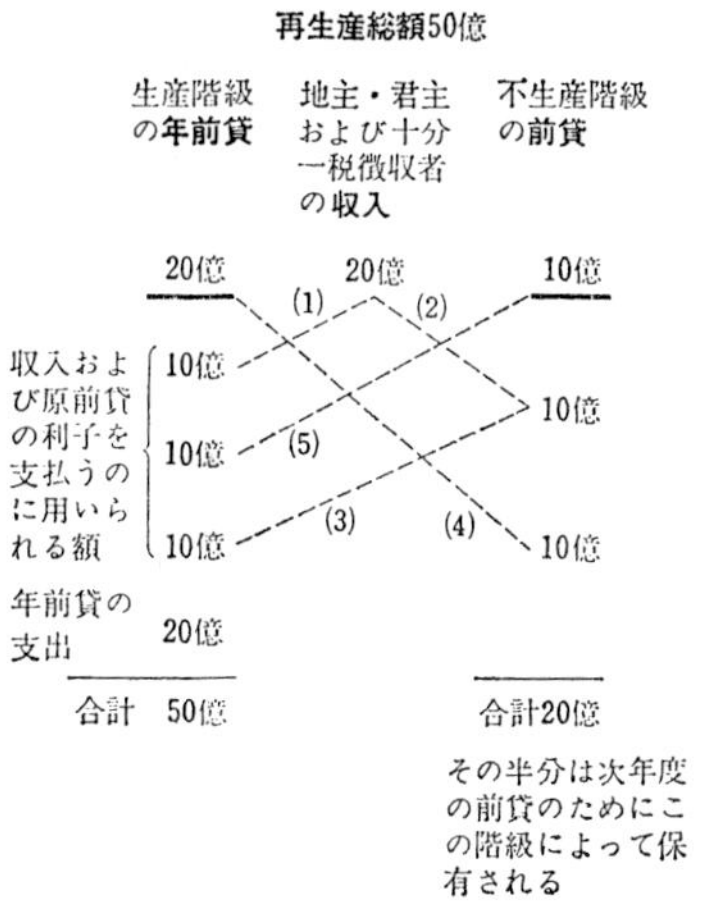

ケネー『経済表』

▼**生産資本と流通資本との混同**

しかしスミスのこの試みは十分成功していません。重農主義者ケネーは有名な『経済表』（一七五八年）で、前貸《アバンス》を原前貸と年前貸とに分けました。

原前貸は、その価値が年々一部分ずつ生産物に移転する機械や建物のようなものです。年前貸は、その価値が年々全部生産物に移転する賃銀支払額や原材料のようなものです。だから生産物価値には原前貸の価値の一部と年前貸の価値の全部が含まれ、これが流通過程で貨幣と交換されます。この貨幣によって生産者は、原前貸の摩損部分と年前貸全部を購入し、現物で補塡することができます。だから再生産が可能となるのです。『経済表』はこの生産と流通の関係を図示したものです。

ケネーの場合、原前貸と年前貸は、価値移転のしかたで区別されますが、ともに生産過程で稼動している資本です。この意味で両者は事実上、マルクスのいう固定資本と流動資本にほかならず、ともに生産資本です。流通過程で交換される商品は、固定資本価値の一部と流動資本価値の全部を含んでいますが、それ自体は生産過程で機能しているわけではなく、流通過程で交換されるものでしかありません。この点は貨幣も同じです。この意味で商品と貨幣は、マルクスの用語法どおり流通資本といわれるべきものです。ケネーは事実上右の諸関係をつかんでいました。

ところがスミスは、前貸という古拙な用語を資本という近代的用語におきかえてはいますが、右の諸関係の把握においてはかえってケネーよりも後退しています。生産資本と流通資本が混同されていますし、固定資本と流動資本の価値移転様式のちがいがはっきりしないからです。だからスミスは、種子は、主人をかえず交換されないことがあるから、固定資本だといったりします。材料も、販売されようとする商品なのか、生産過程での原材料在庫なのか、はっきりしません。生産資本としての原材料と、けっして生産過程で使われることのない貨幣が、同じ項目に分類されているのも奇妙です。

2　資本の維持と貨幣

▼V＋Mのドグマ

『国富論』第一篇の価値・価格論で、スミスは、社会の諸商品の価値総額を、賃銀と利潤と地代という三大所得に分解していました。なるほど三大所得をはっきり区別したのはスミスの功績ですが、社会の商品の全価値が所得に分解されてしまいますと、年々の再生産は不可能になってしまいます。この点は後年マルクスによって批判され、「スミスのドグマ」とか「V＋Mのドグマ」と呼ばれるようになりました。Vは可変資本で賃銀支払額に相当し、Mは剰余価値で利潤と地代を一括したものです。

もし所得からの貯蓄や蓄積を度外視しますと、所得はすべて消費財の購入に支出されます。そこでスミスがいうように、社会の全生産物価値が所得総額に等しいなら、この所得によって全生産物が購入されることになります。全生産物が消費財だけからなる場合に、このことが成り立つはずです。しかしこの場合には、次年度生産を継続(再生産)するために必要な生産手段は、存在しないことになります。これでは資本家は固定資本を現物で補塡することも、原材料を買いそろえることもできません。だから年々の再生産は不可能になってしまうでしょう。

スミスがこのドグマに陥っていた点は、再生産の観点からみて、スミスがケネーより大幅に後退していたことを示しています。だからマルクスの手厳しい批判を招いたのですが、にもかかわらずこのドグマは、リカードからジョン・S・ミルへと継承されてしまいました。これは、学説史の展開が必ずしも一本調子の発展でないことを示す一例です。

▼総収入と純収入

しかしながら、前節の資本分類論でスミスは、(かれの用語法での)流動資本の一部だけが個人的消費にあてられることを確認しました。資本の他の部分は個人的消費にあてられません。この資本分類に対応して、スミスは所得または収入を、総収入と純収入に分けようとします。

たとえば地代は総地代と純地代とに分かれます。総地代は地主の収入全体ですが、このなかから農場の経営費や施設の修理費をさしひいた残余が、純地代です。つまり総地代から資本の補塡費をさしひいた残余で、地主の個人的消費にあてられるものだけが、純地代だというのです。そして地代だけでなく、すべての収入についてこの区別が必要だといいます。

だから社会の総収入は、土地と労働の年々の生産物の全体ですが、純収入は、この全生産物から、固定資本の補塡にあてられる部分と、かれのいう流動資本のうち生産をつづけるために回収されなければならない部分とをさしひいたあと、個人的消費にあてられうる部分だけです。

このさしひかれる部分は、後年マルクスによって不変資本と名づけられました。まがりなりにもこの点をつかんだうえで、スミスは、純収入が真実の国富、すなわち国民的富だといいます。

スミスはこういって、事実上、一国の総生産物を、使用価値の面から生産手段と消費手段に区別し、価値の面から不変資本（C）の補塡費とV＋Mとに区別したといえます。すなわち総収入の一部分は生産財の購入にあてられ、不変資本を現物で補塡し、残りの純収入（V＋M）だけが消費財の購入に支出されることになります。後年マルクスが、資本の再生産の観点から、この点に鋭く注目したのはいうまでもありません。

ただスミスの場合、前述の「V＋Mのドグマ」と、ここでの総収入と純収入の区別は、必ずしも統一された論理にはめこまれていません。二つの見解はある意味では相互に並べられているだけです。なぜそうであるかというと、スミス価値論において、労働が一面では価値を新しく生産しV＋Mを生産すると同時に、原材料の使用価値を変質・変形させることをとおして生産手段の価値を生産物に移転させるという、労働の二重性が問題になっていなかったからです。

スミス再生産論の大きな特質は、ケネーとちがって、それが労働価値論に基礎づけられている点にありますが、この労働価値説は、労働が価値を生産する点を解明したにもかかわらず、生産手段の価値移転についてはなんら問題にしていません。固定資本と流動資本を、スミスが価値移転という観点からは、問題にすることができなかったのも、この労働の二重性把握の欠除と関連しています。こうして、再生産論の枢要論点たる不変資本の補塡の問題を、労働価値説的に基礎づけるのに必要な労働の二重性の分析は、マルクスに残された課題となります。

▼金属貨幣と銀行券

ところで以上のような資本分類論や総収入と純収入の区別論のなかで、貨幣はどうなるのでしょうか。貨幣は、流通過程で機能するだけで、材料のように生産過程で役立つことも、食料のように消費されることもありません。だのにスミスは、それを材料や食料と一緒に流動資本の一項目に分類しました。だから貨幣について論述が乱れるのも当然です。かれは貨幣が固定資本に似ているというのです。それは、固定資本と同じように、けっして純収入として消費されませんから、労働の生産性をおとさないで節約できるものなら節約したほうがよいからです。貨幣は流通の大車輪であり、商業の偉大な道具ですが、純収入＝真実の国民的富を構成するわけではありませんから、一国の貨幣総量を維持するのに経費がかかるのであれば、それをできるだけ節約するのが上策です。

ところが金属貨幣は、運ぶのにも、流通の途中で摩滅する点でも、改鋳したり、貴金属の純含有量を計測するのにも、貴金属を生産したり保蔵したりするのにも、けっこう不生産的な費用や手間がかかります。この費用や労働を節約し、うかした労働と資財を生産資本として転用できれば、それだけ一国の富の生産と消費を豊かにすることができます。

このようにスミスの論述は、資本分類論の観点からは混乱していますが、論述の内容は、生産資本の増大と、生産と消費の拡充という点に重点がおかれていて、この点ではスミスの立場は一貫しています。そして金属貨幣を銀行券でおきかえることができれば、この目的は大いに達成されるものと考えます。

▼銀行券流通の意義

貨幣が年間何回持ち手をかえるか、その回数を貨幣の流通速度といいます。いまこの流通速度が一定だとしますと、交換される諸商品の価値総額によって、一国の金属貨幣の流通必要量がきまります。逆は必ずしも真ではありません。金属貨幣の流通量によって物価水準がきまる（貨幣数量説）というのではありません。この点がまずスミスの基本的な立場です。これは、スミス以前にみられた貨幣数量説の批判でもあります。この立場の基礎にはスミス労働価値説があります。

いまこの流通必要量が金属貨幣一〇〇万ポンドだとします。そこへ銀行券が八〇万ポンド発行されたとしましょう。すると国内流通にとっては八〇万ポンドの貨幣が過剰になりますから、これは輸入代金として国外に送ることができます。しかし銀行券＝紙幣をそのまま送るわけにはゆきませんから、金属貨幣が送られるでしょう。その結果、国内では二〇万ポンドの金属貨幣と八〇万ポンドの銀行券によって、無理なく諸商品の交換が実現されるでしょう。そのうえ国外に送られた金属貨幣が主として輸入するのは、食料や原材料でしょうから、国内ではこれを使って労働者を雇ったり生産を拡大することができます。

つまり銀行券の流通は、金属貨幣の国内流通量とその維持費を節約することによって、国内の生産資本を増大させるわけです。スミスが強調したいのはこの論点です。

▼銀行は遊休資本を生産資本に転化する

銀行券の発行のおもな方法は為替手形の割引でした。もしこの手形が現実の商品取引にもとづいて振り出されたものであれば、為替手形の割引による銀行券の発行は、債務者（商品の買手、為替手形の引受人）が商品購入のためあらかじめ準備しなければならなかったはずの手元現金のかわりに、債権者（商品の売手、為替手形の振出人）が割引によって銀行から銀行券を受け取ることを意味します。だからこの場合には、銀行券がなかったばあいに必要だったはずの貨幣量をこえて、銀行券が発行されることはありません。商人が随時の支払に備えて寝かせておかねばならない遊休貨幣、あるいは遊休資本を、銀行券が代位しているだけです。銀行信用は、いわばデッド・ストックをキャピタル・ストックに転化しているわけです。このことによって、手元現金を準備するという無駄を節約して、商人ならば商取引を拡大し、生産者ならばその生産資本と生産規模を拡大することができるでしょう。資本蓄積論の観点からここにスミスは銀行信用の役割をみています。

正常な経済状態では、割引によって発行された銀行券は、期限後規則的に銀行に還流しますから、この方法によるならば、銀行券が貨幣の流通必要量をこえて増発されることはないでしょう。このことが銀行券発行の限度でもあります。

当時のスコットランドにはキャッシュ・アカウントといって、簡易に信用貸をする制度がありました。これは右と同じ理由でその地域の商工業の発展にきわめて大きく寄与したのですが、スミスは同時にこの信用貸が銀行券の過剰発行を引き起こさないようにする方法を、あわせて検討しています。当時の銀行券は兌換券ですから、前述の流通必要量をこえて増発されますと、銀行券の所持者はつぎつぎに兌換請求をし、銀行ではそれに応ずるため準備金を調達したり補充したりする経費がかさみ、場合によっては取付けや破産の危険もあります。

イングランド銀行

銀行信用は国富増大にとってきわめて有効ですが、それはディダラスの翼です。便利に高く飛ぶことができますが、蠟でできた翼ですから、落っこちる危険もあります。

▼スミス信用論

この部分でのスミスの論述は、信用論の観点からみてもきわめて興味深い問題を数多く含んでいて、信用論史上の一古典です。スミスによれば、銀行信用は、金属貨幣の流通量とそれにともなう空費を節約し、遊休貨幣または資本を、生産資本に転化させます。これによって一国の資本蓄積が促進されるわけです。だが、この信用は消費金融と対立します。それはぜいたくな地主や貴族の浪費を助ける貸付ではありません。これによって有効需要を喚起しようという重商主義的発想に、スミスは対立しています。またそれは一九世紀ドイツの産業金融でもありません。つまり設備投資にたいする長期の貸付ではありません。スミス信用論の対象は、生産者が商人にたいしてあたえる信用（為替手形）を基盤に発達した商業金融です。そしてこの点は、スミス経済学の全体が、資本主義の自生的に発達したイギリスの地盤に根ざすものであったことを示しています。

3　資本の蓄積

▼生産的労働と不生産的労働

国富増進のためには二つの方法があります。ひとつは分業による生産性の向上、もうひとつは生産的労働者の数をふやすことです。しかも生産的労働者数の増大は、個々の労働者のあいだでの分業関係を改善させますから、いわば、二重の意味で生産力を向上させます。

この生産的労働者を雇用するのが資本であり、その数をふやす条件が資本の蓄積です。『国富論』第一篇が分業による生産力を問題にしたとしますと、第二篇はそれを支え発展させる条件としての資本と資本蓄積を分析している、という関係にあります。

『国富論』第二篇第三章で、スミスは資本の蓄積を論じますが、これは同時に、資本によって雇用される生産的労働とはなにかという議論を含むわけです。

このことからも明らかなように、生産的労働とは、まず資本に雇用される労働です。それは、そのことによって自分が加工する材料の価値に賃銀や利潤の価値を付加する労働です。しかしスミスはまた、労働を投下することによって、貯えられ、あとまで存続するような物、あるいは商品を生産する労働も、生産的だといっています。

これに反して不生産的労働は、利潤や地代のような収入と交換される労働です。それは剰余価値(利潤や地代)を生産しません。それはあとに残るような商品を生産しません。

スミスが示した例によれば、工業労働や農業労働は生産的です。召使いや聖職者、法律家、医者、文士、俳優、道化師、オペラ歌手などの労働は不生産的です。そのうえ収入から支払われる租税によって維持される君主や官吏や軍人の労働は、かりに高貴で有用だとしても、召使いと同じように不生産的です。

▼ケネーとスミスとマルクス

それでは商業労働はどうでしょうか。これは、資本に雇用されてはいますが、物や商品を生産するわけではありません。スミスは、(現実の)商業労働がどの程度までどのように、生産的労働の性格をもちうるかという点については、すこしも分析していません。そのうえで商業労働を生産的労働に含めてしまいます。このことは資本分類論で、生産資本と流通資本の区別が不明確で、概して生産と流通の区別がはっきりしなかったことに対応しています。

独立小生産者はどうでしょうか。かれは物や商品を生産しますが、資本に雇用されてはいません。この点でもスミスの規定は不明確です。そのわけは、スミスの自然法的歴史観からいえば、資本主義の歴史的形態規定が不明確だからです。独立小生産者が自分の資財を使って生産をするのと、資本家が労働者を雇用して生産する様式とのあいだに、歴史的形態（様式）の異質性をみようとしないからです。つまりスミスにとっては、自分の所有としてであれ他人の所有としてであれ、どこかに（前出）あらかじめ蓄積されている資財が、資本になりうるのですし、だから独立小生産者も資本家なみに資本をもちうるのです。両者を歴史的形態のちがいという観点から明確に区別したのはマルクスです。

スミスの念頭にあったのは、ケネーの規定です。ケネーによれば、農業労働だけが生産的です。農業だけが、唯一の剰余価値＝地代＝純生産物を生産すると考えられたからです。かれは、工業労働を商業労働なみに、不生産的だと考えました。スミスが批判しようとしたのはこの考えです。スミスは、利潤もまたれっきとした剰余価値であることを確認することによって、工業労働もまた生産的だということをはっきりさせました。つまりスミスは、使用価値と価値・剰余価値の生産を、農業と地代だけに局限せず、産業労働全般に一般化しています。ケネーを克服して、産業労働一般が価値・剰余価値を生産するとした点は、『国富論』第一篇の価値・剰余価値論を確立させる基盤になっています。ここには学説史上スミスの大きな功績があります。

ただその場合、商業労働を生産的労働だとした点は誤りです。この点は、資本主義的商品が、生産されるだけでなく、流通し、交換されなければならないという、歴史的に特殊な形態規定をうけていることとの関連で、生産と流通の明確な区別とともに、生産的労働や商品概念それ自体の考え直しを、マルクスの課題として後年に残すことになります。

▼資本と社会的分業構造

前述のように、生産的労働者を雇用するのは資本で、不生産的労働者を雇用するのは収入です。スミスはしばしばV＋Mのドグマに立ちもどって、資本がすべて生産的労働者の雇用基金であるかのように表現しています。また収入という語は事実上ほとんど剰余価値（利潤と地代）の意味です。賃銀もときには、観劇などで不生産的労働へ支出されますが、ほとんどとるに足りなかったからです。

だから、ある国の生産物の価値総額が、資本（しばしば賃銀支払額）の回収と剰余価値に分割される割合は、その国の総労働の生産的労働と不生産的労働との分割割合を決定することになります。そしてこの後者は、一種の社会的分業構造にほかなりません。この意味で、生産物の価値分割が、それに照応した社会的分業構造を規定します。資本（あるいは賃銀）の回収にあてられる部分が大であれば、生産的労働の割合も大で、国富も大きい。剰余価値の割合が大であれば、国富は小さいわけです。『国富論』第一篇で、スミスが高利潤率を批判していたこと、第二篇で資本の回収に重大な意義を与えていたことを思い起こしてください。

この見方は封建制批判としても大切な論点です。封建社会は、高い地代収奪率と、この地代を市場（需要源）にして高い利潤率を獲得していた前期的大商人によって、特徴づけられます。反面、生産資本や賃銀支払分の回収は、小さな割合しか占めていませんでした。だから封建制下の大衆は貧しかったのだし、まさにこの意味で国富が小さかったのです。国富という言葉の意味に注目しなければなりませんが、この封建制と対照的に、近代資本主義社会では、労働者大衆が豊かで、まさにこの意味で、国富が大であるというわけです。

▼資本蓄積と国富

年々の国富の生産が、資本によって雇用される生産的労働者数によってきまるのでしたら、年々の国富の拡大再生産は資本の蓄積によって可能となります。資本の蓄積は、生産的労働者の雇用を拡大し、一国の総労働者のなかの生産的労働者の割合を高め、そのうえ分業による生産性を増幅させますから、一国の生産力は資本がふえる以上のテンポで向上するでしょう。

そしてこの場合、資本の蓄積は、生産的労働への需要を増加させ、賃銀水準を上昇させます。こうして国民の大多数を占める労働者の生活水準が改善されるでしょう。すなわち、真の国富が増進されるというわけです。

スミスが『国富論』第一篇で、高賃銀の状態を幸福で衡平な状態だといって、いささか倫理的な評価をしていたのは、資本蓄積のこの経済的効果を念頭においていたのです。かれは倫理的に近代市民社会が肯定されうるゆえんを、この経済状態によって確認しようとしていますし、「私有財産、自由、平等」を三本柱とする近代市民社会の法体系を是認しうる根拠を、国民の大多数者の生活水準の向上と右の衡平に求めようとしているのです。この点には、スミス社会科学における倫理学、法学、経済学の関連をみることができます。

こうして『国富論』の全体系は、この資本蓄積のメカニズムの分析をとおして、その発展に適合的な国家制度を確定することを中心課題としているといえるでしょう。

ただここで注意しなければならないのは、資本蓄積の基本構造を分析するこの第二篇では、政府の役割は（間接的には有用ですが）不生産的だとされている点です。ここでは政府は、国富増進にとってのジャマものでしかありません。ここでは、生産的労働が国富増進の直接の担い手であることを、基本的におさえることが問題です。国富増進にとっての政府の間接的有用性の分析は、あとまわしにされ、第五篇国家財政論であらためてとりあげられます。

▼資本蓄積と節約

では資本はどのようにして蓄積されるでしょうか。それは、剰余価値の一部分を節約して、追加的資本として投下することによって実現します。この場合には社会の生産資本が増大し、生産規模も拡大するでしょう。この進行を拡大再生産といいます。

いま剰余価値が全部個人消費に向けられたとしても、従前の生産資本の回収は可能ですから、同じ規模の生産をつづけることはできます。つまり単純再生産は可能です。しかしそれをこえて剰余価値が浪費されますと、同規模の生産資本の回収さえ不可能になり、縮小再生産が不可避です。この状態はスミスにとっては最悪です。なぜなら、資本が減少し、労働需要が減退し、賃銀は低下し、国民の大多数者の生活がミゼラブルになるからです。

このようにスミスは、再生産軌道を三様に分岐させる直接の原因を、節約と浪費によって説明します。大きな剰余価値が搾取されてもそれが浪費されたのではなんにもなりません。だから剰余価値の強奪や労働の強化よりも、剰余価値の社会的節約が、直接に大事なのです。こうしてスミスにとって、あらゆる浪費は社会の敵であり、あらゆる倹約はその恩人なのです。

▼節約と浪費

かれがこういって浪費を論難したのは、当時の体制派的公式見解に挑戦したのです。重商主義国家の理論と政策を批判したのです。

スミスと同時代の重商主義者スチュアートによれば、社会は浪費によって奢侈的工業製品への有効需要を提供することができ、これによって失業者救済と生産拡大が可能になるのでした。ここには節約による資本蓄積とか、資本による労働者の直接雇用という観点がありません。スミス資本蓄積論が、この重商主義批判だということが、知られるでしょう。

スミスによれば、節約はたんに美徳であるだけでなく、母の胎内から出て墓に入るまで人びとについてはなれない本能的な性向です。それは、自由で独立な諸個人ならたいてい身につけているもので、自分の生活状態を堅実に改善しようとする、恒常不変の性向です。

しかし浪費は、瞬間的な衝動による無分別ですから、恒常的性向ではありません。だからふつうの場合、人びとの節約性向は浪費性向よりも、はるかに優勢です。個々の市民を自由に行動させるならば、個々の個人の浪費によって一国全体が縮小再生産においこまれる心配はありません。節約性向が有効に、個人の富と国富を本源的にひきおこす原理となるでしょう。

　ところが政府が権力でもって実行する大規模な浪費は、おそるべきものです。絶対君主も、市民革命後の重商主義政府でさえも、壮大に走り華麗をきわめた宮廷を営んだり、大陸軍、大海軍を維持したり、戦争をしたりしました。一六八八年、一七〇二年、一七四二年、一七五六年の四回にわたる英国の対仏戦争などは、その顕著な事例です。これが国富の増進を阻害したのはいうまでもありません。

　スミスの浪費論難のねらいは、重商主義国家の不生産的浪費と帝国主義戦争を批判する点にあったといえます。にもかかわらずイギリスの現実の歴史が拡大再生産を実現させてきたのは、個々の市民の節約と勤勉が、右の悪政と悪弊を克服し凌駕したからだ、とスミスはいいます。この論点は、第四、五篇でさらに詳しく展開されるでしょう。

4　利子付きで貸し付けられる資本

▼資本蓄積と資本の貸付

　節約された収入（事実上剰余価値）は、所有者の手で直接生産的労働者の雇用に投じられるか、他人に利子付きで貸し付けられるかのいずれかです。前者については『国富論』第二篇第三章で説明されました。後者については、その第四章で説明されます。

ところで、貸し付けられた貨幣は、借手が資本として使用する場合と、借手が消費に支出する場合とがあります。

前の場合には、それはおおかた生産的労働者の雇用のために投じられ、その作用は前に述べた資本蓄積の場合と同じです。借手がそれを消費するさいは、その作用は前述の浪費と変わるところがありません。それは不生産的労働者のために散財され、貸付元本と利子は、借手の財産の食いつぶしか、地代のような収入によって支払われるでしょう。

そして節約が浪費よりはるかに優勢なのと同じ理由で、貸し付けられた貨幣は資本として使用されることが、はるかに多いのです。だからスミスは、資本蓄積を論じたこの第二篇で、利子つきで貸し付けられる資財についての簡単な一章を設けているのです。

ところで、この貸付ということの経済的実質はなんでしょうか。浪費者の場合を度外視すれば、借手は、借りた貨幣で生産資本をととのえ、それを運用します。借手はこの生産資本の運用権を獲得したのです。つまり貨幣の貸付の実質は、一国の年々の土地と労働の生産物の一部分についての、あるいは生産資本の一部分についての、権利の移譲という点にあります。スミスが、実物経済の観点で、生産資本に注目して、経済的諸関係を観察していることがわかります。

▼利子と利子率の低下

利子というのは、この資財の運用権にたいして支払われる価格です。企業家は労することなしに他人から貨幣を借りて、いわばなんら費用をかけないで利潤を獲得することができます。そしてその一部が、なんら労することなしに貨幣の増殖を欲する貸手に、利子として払われます。この関係はきわめてすっきり描かれています。スミスは、利子が生産的労働者の生産した剰余価値の一部だという真実を、はっきり見抜いていたことがわかります。

しかしスミスはこの貨殖の事実を、ごく当然のことと表現してすましています。なぜ利子取得権が、労せざる貸手の側にあるのか、これは労働にもとづく本源的所有権とどんな関係にあるのか、という問題を、スミスは問題にしません。ここには、所有論的な私有財産の分析を、少しも掘り下げようとしないブルジョア的限界がみうけられます。

スミスが問題にするのは、その価値論がそうであったのと同じように、利子率の量的な大きさやその変動だけです。イギリスでは封建末期から一八世紀にかけて、利子率は傾向的に低下してきました。この事実をスミスはつぎのように説明します。

資本蓄積が進行すると、新追加資本の有利な用途を発見するのがむずかしくなります。その結果、諸資本間の競争がはげしくなり、一面では製品価格を押し下げる圧力が強まり、他面では労働需要の増加のために賃銀は高くなり、こうして利潤率が低下します。したがってその一部としての利子率も低下します。

このような説明は、すでに第一篇でみられたものですが、諸資本間競争が利潤率を低下させるという点は、労働価値説の観点からは不十分ですから、後年リカードによって批判されることになります。

▼利子率の統制

自由主義者スミスも、一国の資本蓄積にとって適合的でない諸事情にたいする法的統制を、是認しようとします。この点は注意を要する事実です。

すこしあともどりしますが、銀行券発行制度に関して、スミスが小額面銀行券の発行禁止を是認しているのも、その一例です。小額面の銀行券が許容されますと、一国の貨幣はほとんど全部紙幣だけということになり、そのうえ小規模銀行家の乱立が可能になって、一国の資本蓄積が不安定な基盤のうえに立たされることになるからです。

これと同じようにスミスは、貸付資本が、社会全体の資本蓄積に有効に寄与し、浪費を防止するように、利子率の最高限度を市場利子率よりもやや高い水準で法定することを、是認しようとします。これによって、極端に高い利子を払って放蕩する浪費家へ、貨幣貸付が流失するのを防ごうとしたのです。これがスミスの自由主義の原理からいって首尾一貫しているかという点で、さっそくにもベンサムの批判を招いたのでしたが、資本蓄積への関心を貫徹させようとしたスミスの姿勢を示す政策論として、ひとこと言及しておきましょう。

ベンサム

5　資本のさまざまな用途について

▼資本の諸用途と労働雇用力格差

前述のように、不生産的労働の有用性の分析をあとまわしにして、スミスはここで生産的労働の枠内での分業構造が、どのように形成されるかを問題にします。資本のさまざまな用途というのはこの意味にほかなりません。

資本はまず四つの分業部門に投下されます。農業と工業と卸売業と小売業がそれです。これらの四部門が国富の増進にとってどれもみな必要であるのは自明でしょう。

このうち卸売業には、さらに四つの分野があります。国内商業と、直接の外国貿易と、迂回貿易と、仲継貿易です。

このうち直接の外国貿易は、国内農工業が発達して国内で十分市場を見出しえなくなった場合に、その余剰生産物のはけ口になるばかりか、その対価として国内で必要とされる消費財や新しい生産財を輸入します。このことによって国内産業での新しい資本投下分野への道が開かれます。この意味で外国貿易は、国内での国富増進と資本蓄積にとって有益な機能を果たしていることになります。迂回貿易もある場合にはこのような機能を果たしうるでしょう。しかし仲継貿易は、国富の原因であるよりも、その結果であるにすぎないとスミスは考えます。これらの点については、あとでやや詳しく説明しましょう。

スミスはこのように、資本投下のさまざまな分野を区分します。その場合の区分基準として、各分野で、一定額の資本の雇用する生産的労働の量に格差がある点が強調されますが、これはスミスに特有な議論です。

▼農業と工業

農業では資本はもっとも多量の生産的労働を雇用します。農業では資本の大部分が労働の雇用にあてられるからです。そのうえスミスがいいますには、家畜もまた、生産的労働者なのです。農耕ではなるほど牛馬も人とともに汗を流すにはちがいありませんが、これはまことに驚くべき筆の走りです。一定額の資本がとくに大きな価値を生産するという農業の特殊性を説明しようとして、スミスは家畜を労働者なみに扱い、労働者を家畜なみにおとしめてしまったのでしょう。とはいってもこの事実は、価値や剰余価値の問題がまだ厳密には、人間と人間との関係の問題になりきっていなかったことを、期せずして露呈しています。マルクスが価値の実体を抽象的人間労働と規定して、後年わざわざ人間のという形容詞をつけているのは、古典派ブルジョア経済学のこうした不徹底を批判したのです。といいますのも、リカードにさえ、スミスと同じ用法がみられるからです。

このことと関連して、スミスによれば農業では自然もまた人間とともに労働します。だから農業では、賃銀や利潤だけでなく、そのうえに地代も生産されるのです。第一篇で説明されたように、地代は自然の所産だとされます。ここにふたたび重農主義の残滓がみられるわけです。工業では、資本のかなりの部分を、固定資本や原材料の補塡・購入に投じなければなりません。残りが生産的労働の雇用にあてられるだけです。

▼卸売業と小売業

卸売業では、資本の大部分が農産物や工業製品の仕入れに充当されます。このことによって卸売業は、農工業の資本価値を回収し、その剰余価値を実現させます。おかげで、農工業での生産的労働の継続的雇用と再生産が可能になります。スミスは正当にも、これが商業のおもなサービスだといいます。このかぎりでは、スミスもマルクスと同じく、商業労働の不生産的性格と流通の機能を、正しくみていたといえるかもしれません。

卸売業で直接雇用される生産的労働といえば、貨物運送に従事する水夫や運送人《キャリア》だけです。

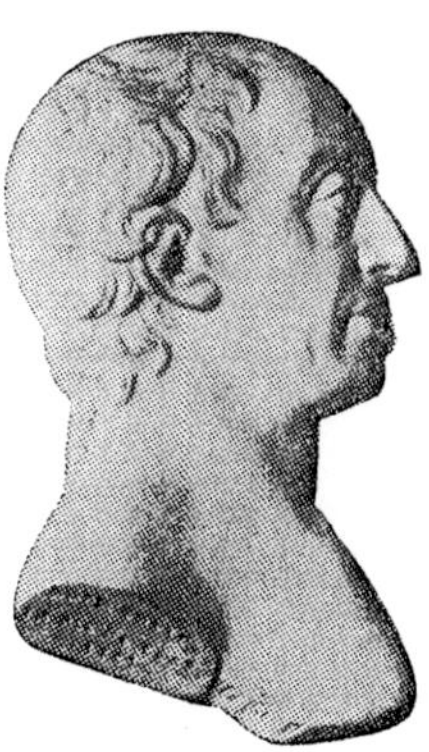

64歳のスミス像

これによって卸売業は、財貨の価値をその賃銀と利潤の分だけ増加させます。くりかえし注意しておきますが、スミスの場合、貨物運送機能（生産）と純粋な商品取引機能（流通）とが、はっきり区別されません。

小売商人の資本は、ほとんど全部商品の仕入れにあてられます。この機能の経済学的意義は卸売業のそれに準じます。かれが雇う生産的労働者は、小売商人自身（！）

でしかありません。かれ自身の利潤（！）だけが、年々の生産物に付加される全価値です。

▼国内商業、直接貿易、迂回貿易、仲継貿易

国内商業は、国内のA地域で仕入れてB地域で売り、B地域で仕入れてA地域で売ります。これによってこれは、A、B二ヵ所で、農工業資本を回収し、農工業での生産的労働の雇用を間接的に可能にします。

直接の外国貿易は、自国で仕入れて他国で売り、他国で仕入れて自国で売ります。だからこの資本は、国内一ヵ所でしか右の機能を果たしません。そのうえ資本の回転速度は国内商業よりもおそいのがふつうです。

迂回貿易は、たとえば、自国で仕入れてA国で売り、A国で仕入れてB国で売り、B国で仕入れて自国で売ります。当然資本の回転はさらにおそくなり、しかもこれら三回の交易で自国資本の回収に寄与するのは一回です。

仲継貿易は、他国間の貿易を仲継するだけですから、他国から自国にもちかえる利潤の再投資を度外視すれば、自国の生産資本の回収に寄与しません。以上四業種は、それぞれ直接に自国の少数の生産的労働者を雇用することができますが、仲継貿易は多くの場合じっさいには自国船員を雇用しないでしょう。

以上のようにスミスは、各分業部門での資本の直接的・間接的な生産的労働雇用力に、格差づけを試みています。

▼その再生産論的意義

『国富論』第二篇第一章の資本分類論は、固定資本と流動資本、生産資本と流通資本をさまざまに混同していました。またその第三章の生産的労働・不生産的労働論でも、商業労働については疑問が残りました。こうしてスミスの場合、生産と流通の区別がはっきりしません。そのためスミスは、生産資本の循環と回転、その価値と使用価値補塡の機構を、はっきり表式化しえないことになりました。これらの点は、ケネーとくらべての長短を指摘しながら、すでに述べたとおりです。

しかし第五章の資本の用途論では、右の欠陥を埋めようとしています。といいますのは、スミスは、農、工、商の分業関係を、生産資本の循環とその価値補塡、とくに農、工における生産的労働者の継続的雇用が、どのように実現されるかという再生産論の問題を、剰余価値の実現の問題とともに、説明しているからです。卸売業の四部門についての説明も、理論的内容からいえば同じです。

スミスの説明には、商業労働の機能を、生産資本の価値の流通と剰余価値の実現という点で理解しているのか、商業労働自体を価値生産的とみているのか、相変らずはっきりしません。また固定資本と流動資本の価値回転の様式のちがいは、ついにすっきりした形ではでてきません。そのうえ地代については重農主義の残滓が残っています。しかし全体として、各部門の分業関係を、右の再生産論の観点を軸にして整理しているのは、産業構造論の一典例としてみごとです。

ですから、右の分業論には、なるほど重農主義の思想が残り、仲継貿易や重商主義批判がひそんでいますが、この点を強調するあまり右の再生産論的意義を忘れるのは不当です。

▼資本の自然的投下順序と自然的分業構造

スミスによれば、農業はもっとも生産的で、工業はそれについで生産的です。商業のおもなサービスは、生産物の価値を流通させ実現させる点にありますから、直接の生産的労働雇用力は小さい。しかも国内商業にくらべて外国貿易は、国内の生産資本回収力も生産的労働雇用力も、さらに劣っています。

だから、資本が蓄積されて経済が歴史的に発展してゆくばあい、資本が右の順序で投下され、各部門が右の順序で充実してゆくならば、社会の生産力はもっとも急速に進展するはずです。

もちろん各部門間バランスも必要です。農業がいちばん大事だからといっても、商業はいらないというわけではありません。生産資本の循環という観点からは、商業もまた必要です。が、このバランスもまた、諸資本の自由な競争と平均利潤率の形成に導かれつつ、自然にとれるはずだというのが、スミスの考え方でしょう。

そしてこのような自然的な資本の投下順序に導かれて、おのずとできあがるはずの自然的分業構造は、もっとも堅実で豊かな生産力を約束するものです。

ところで、ヨーロッパ諸国の現実の歴史の足取りは、こうした自然的順序で発展してきたでしょうか。またその現状（分業構造）は、右の理論と合致しているでしょうか。封建制を批判し重商主義と対立したスミスの目をもってすれば、諸国の現下の分業構造は、きわめて不自然な政策によって大幅に歪曲されています。ではこの歪曲は、どのような歴史的事情によって生じたのでしょうか。しかし反面、若干の諸国においては、右の生産力的な分業構造が、いわば自然必然的な力をもって、きわめて弁証法的な歴史の進行をとおして、はじめて形成されつつあります。こうした諸点の批判的検討は、以下、第三、四篇の課題となります。

III

諸国民の富裕の進歩の差異

〔『国富論』第三篇〕

グラスゴウの遠景——手前尖塔の建物は美術館（上）と，市街（下）

1　富裕の自然的進歩について

▼都市と農村の分業

あらゆる文明社会の大規模な商業は、都市の住民と農村の住民とのあいだで営まれるものです。農村は都市に食糧や工業原料を供給し、都市は、それとひきかえに、製造品を農村に供給します。自然からの物資の抽出は農村で行なわれ、それをもとにしてはじめて都市の加工産業が成り立ちます。

このような都市と農村との分業は、だからといって、都市の一方的な利益になるものではありません。農村はその余剰生産物を都市の製造品と交換しますが、都市の住民数と収入が大きくなればなるほど、市場が拡大されて、農村の住民にとっても有利になります。とくに都市の近隣にある農村の土地所有者や自営農は、「かれらが売るものの価格については、通常の農業利潤をこえて、もっと遠距離の諸地方からもたらされる類似の生産物の運賃の全価値を利得する」とみなされます。なぜならば、穀物は同一市場では同一価格で売られるからです。これは、立地条件の違いに由来する差額地代の認識にほかなりませんが、スミスは、ここで、農村の住民が差額地代を収得しうるところに、分業が農村にとっても有利であることのひとつの論拠を求めています。

▼農耕が先立つ

農村で産出される生活資料は、事物の性質からいって、都市で製造される便益品やぜいたく品より先立つものですから、農耕は必然的に都市の製造業に先行しなければなりません。農村の余剰生産物が増加してはじめて、それによって維持されうる都市の製造業の発展も可能となります。都市はその必需物資を近隣や自国内にとどまらず遠方の諸国から入手することもあり、このような都市と農村との分業のしくみのあり方が、時代により国民により、富裕の進歩にかなりの差異をひきおこした原因だとされます。

このような事柄の必然的順序は、人間の自然的性向によってさらに促進されます。もし人為的諸制度がこの自然的傾向を妨げなかったならば、都市はその位置している地域の農耕によって維持されうる以上には拡大されなかったはずだとスミスはいいます。すなわち、人為的な妨げさえなければ、利潤率が同程度の場合、人はその資本を貿易や製造業よりも土地の改良や耕作に使う方を選ぶとみなされます。その方が安全であるばかりか、田園の美しさ、その生活の楽しさ、それが与える平穏と自主独立などは、人をひきつけてやまぬ魅力をもっており、しかも「土地の耕作は人間が本来的に運命づけられた目的である」から、人間は農耕への偏愛の情を失わずにいられるというのです。

ところが、耕作のためには、農具などをつくる工匠たちの助力が必要となります。これらの工匠と他の多くの小売商が定住して都市が形成され、そこが農村の住民のつどう市場となります。都市の製品が農村の住民にどれだけ売れるかが、都市の住民の農村からの購買量を規制します。つまり、農村からの需要の大きさが都市の仕事や生活資料の量を左右するわけです。したがって、制度の妨げさえなければ、あらゆる国において、都市の発展は農村の発達の帰結として、またそれに比例しつつ行なわれたはずだとみなされます。

スミスは、ここで、工業製品は有効需要の裏づけがなければ生産が拡大しないと考えていますが、農産物については、余剰生産物は必ずその需要を見出すという、のちのセー法則と呼ばれた考え方をとっています。これを近代資本主義にそのまま適用することはできませんが、都市と農村の分業関係に関する大局的な歴史認識としては、それはむしろ妥当な見方といえるでしょう。

▼自然的順序の転倒

未耕地の豊富な北アメリカでは、都市の工匠が十分な資本を獲得すると、輸出目当ての製造業への拡張を行なおうとはせずに、未耕地の購入と改良にそれを使用します。そこでは、他者に依存しない一個の主人であり独立者であることが尊重される気風が、企業活動のあり方をこのようにしているとみなされます。

これに反して、未耕地の乏しい国では、国内での需要をまかなう以上の資本を獲得した工匠は、それを輸出向け製造工場の建設に向けようとします。資本の用途としては、利潤率が同程度の場合、外国貿易よりも製造業が優先されます。その方が安全であるばかりでなく、海外輸出そのものにとって、輸送のための資本が外国のものか自国のものかということは何の重要性もないからです。それゆえ、「事物の自然の成行きによれば、あらゆる発展的な社会の資本の大部分は、まず第一に農業に、ついで製造業に、そして最後に外国貿易に投下され」ます。

このような事物の自然的順序は、どのような社会でも多少とも見出される事実でしたが、しかし、ヨーロッパの近代諸国家のすべてにおいて、この順序が多くの点でまったく転倒されてきました。つまり、ある都市の外国貿易が輸出に適する比較的精巧な製造業を導入し、そして製造業と外国貿易があいたずさえて農業の改良を促しました。「これらの国の統治の性質に由来し、しかもこの統治が大変化を遂げてしまったあとにも残った習俗や慣習が、必然的にこれらの国にこの不自然で逆行的な順序を余儀なくさせた」とみなされます。ここに第三篇の課題が集約されています。つまり、このような転倒をひきおこした諸事情を説明するために、ヨーロッパにおける統治と政策の歪みの歴史的解明へとメスが加えられることになるからです。

2　農業はいかに阻害されたか

▼不条理な大土地所有制

西ヨーロッパにおいて、ローマ帝国が崩壊したのち、すべての土地は独占され、しかもその大部分は大土地所有者のものになりました。もしそれが相続や譲渡によって小区画に分割されたとしたら、この独占の弊害も一時的なものにとどまったはずですが、実際には、そのような分割は、長子相続法と限嗣相続制によって妨げられてきました。そのわけは、土地がたんに生存のための手段としてでなく、権力や保護の手段とみなされてきたために、土地を分割しないで一人に相続した方がよいと考えられてきたからです。

土地を動産と同じように生存や享楽の手段としていたローマ人のあいだでは、均等相続制がとられていました。ところが、その後の無秩序の時代には、大地主は一種の小君主であり、君主が主権者として全権をにぎっていたように、大地主も自己の領地内の権限を一手に掌握していましたから、その権力と住民への保護の大きさは土地資産の大きさに依存していました。それが分割されるということは、近隣の大地主によって抑圧され、併呑される危険に自らをさらすことを意味します。

これが長子相続法の由来ですが、法律というものはいったん制定されるとそれを必要とした事情がなくなっても一人歩きしますから、それがスミスの当時も効力をもっていました。しかも、それはすべての制度のなかで家柄の差別に伴う高慢《プライド》を維持するのにもっとも適したものであるために、これから幾世紀ももちこたえそうに思われるとスミスはいいますが、「一人の子供を富ませるために他のすべての子供を赤貧におとしいれるという権利ほど、人数の多い家族の真の利益に反するものはない」と述べて、それが自然法に反することを力説します。

この長子相続法から限嗣相続制が導入されました。それは、最初の土地資産が後継の所有者によって譲渡・贈与などが行なわれないように、つまり所定の血統以外にもちだされないように定められたものです。スミスによると、ヨーロッパの現状では、「これほど不条理きわまるものはありえない」、なぜならば、それは、先祖の一片の遺言によって、「現世代の財産は、おそらく五〇〇年もまえに死んでしまった人びとの思いつきによって制約され、規制されるべきものだ」と考えられていたからです。そしてそれが貴族制の基礎にされていました。このような不条理な制度は、スミスの予想より急速に、フランス革命後のナポレオン法典によって廃棄され、イギリスでも、一九世紀末には改革されることになります。もっとも、スミスの批判が改革を早める啓蒙の役割を果たしたことも否定できませんが。

▼耕作者の奴隷状態

大地主が大改良家だということはめったにありません。かつては自己の権力の維持と拡張に手いっぱいでしたし、法律と秩序が確立されても、かれらは、しばしば改良の志向と能力を欠いていました。かれらは、その境遇から、利潤の増大を必要とせず、自分の道楽を満足させるような見栄を張ることに精を出します。

大地主に改良を期待できないとすれば、そのもとでの土地占有者にはなおさら改良を望むことはできないことになります。かつては、かれらはすべて任意解約小作であり、いわば奴隷でありましたが、古代ギリシァやローマのそれと違い、主人に属するよりも直接その土地に属するものとして扱われました。土地と一体に売買されることはあったにしても、身体だけで売買されることはなくなりました。しかし、財産を獲得することはできません。このような隷農は、日々の生活資料を獲得しうるだけで、それを上まわる収穫はすべてかれらの主人の所有に属したのです。このような「奴隷制」が廃止されたのは、西ヨーロッパだけであり、東ヨーロッパではそれがいまだに存在している、とスミスはいいます。

奴隷の仕事は、生活維持費しかかからぬように見えますが、けっきょくはもっとも高価なものとなります。「なんの財産も獲得できぬ人は、できるだけたくさん食べ、できるだけ少なく働くほか何の関心ももてない」からです。自分の必要生活資料を上まわる剰余の生産は、かれら自身の利益に訴えてなされるのでなく、暴力によってかりたてられるために、そのような条件に置かれた人はだれでも労働意欲を失ってしまいます。

とすると、当時、カリブ海の西インド諸島植民地で砂糖やタバコの奴隷耕作が行なわれていたことにスミスは言及せざるをえなくなります。すなわち、人間は高慢《プライド》であるから、目下の者に働いてもらうことを願うより顎《あご》の先で使うことを好むので、「法律」が許しさえすれば、かれは自由人より奴隷を使うことを選ぶであろうと。つまり、自由人を雇用する経費を上まわる負担を補って余りある優越感にひたろうとする性向が人間にはあるというのです。人間の傲慢な性格が、歪んだ制度によって助長されるというのが、スミスの批判点であり、このような見方はかれの道徳哲学によって裏づけられています。

▼分益小作と農業者

スミスの母

かつての隷農をしだいに受けついだのは、農地を耕作するための全資本を地主から借り、その収穫から資本の維持部分を除いたのちに地主と折半する分益小作《メテイエ》でした。分益小作は、この控除部分を上まわる生産物の二分の一の分け前にあずかることができ、したがって財産をもつことができましたから、よく働くことが自分の利益に半ば直結します。「奴隷制」が廃止されたひとつの理由はここにありますが、そのもうひとつの理由は、大領主と国王との角逐によって、国王が大領主の権力を蚕食させるために農奴たちを鼓舞したことにある、とスミスは推測します。ところが、この分益小作にとって自己の財産を資本として耕作に投ずることは利益となりません。余剰生産物は地主と等分するわけですから、自己の資本より地主の資本を用いる方が得策であることは明白です。当時のフランスでは全国の六分の五がこういう分益小作によって耕作されていました。この事実は、すでにケネー『小作人論』で明らかにされていましたが、スミスは、このように土地への資本投下を妨げるフランスの農地制度の矛盾をさりげなく、しかも鋭利にえぐり出していたのです。

　この種の借地関係を受けついだのが、地主に地代を払いつつ自分の資本で土地を耕作した農業者《ファーマー》です。しかし同じ借地農業者といっても、借地権のあり方によってその安定度はかなり異なります。つまり、借地契約期間が短かければ資本投下が抑えられますが、その期間が長期になるほど資本投下が促進されます。

▼ヨーロッパの状況

農業者の借地権がもっとも安定していたのはイングランドです。そこでのヨウマンの大部分は終身借地権をもち、選挙権すらいち早く有していました。これは「イングランドが自慢する商業上の諸規制のすべてを合わせたよりも、その現在の偉容により多く貢献してきた」とみなされます。しかし、その他の国々ではなお農業者の借地権は不安定でした。そのうえ、昔の農業者には、地代のほか地主のために行なう多くの労役があり、また、公的な賦役・徴発・納税も義務づけられており、しかもその多くが恣意的であったために、農業の改良が妨げられてきました。地主の「貪欲と不正はつねに視野が狭く、こういう規制がどれほどはなはだしく改良を妨げ、またそのために、長期的には地主の真の利益をも損うかということを予見しなかった」というように、スミスは随所で目先の利益の追求がしばしばそれと相反する結果をもたらす事例をあげています。

しかし、これらの阻害要因が除かれた、最善の法律のもとにあってさえ、農業者の改良には不利が伴います。農業者と土地所有者とを比べるのは、借金で経営している商人と自己資金で経営する商人とをくらべるようなものです。つまり、地代を負担する分だけ改良が緩慢になるわけです。その意味で、スミスは自分の所有地で自ら農業を営む小土地所有者が、いちばんの改良家であるとみなします。それにつぐ改良家が豊かな大借地農業者であり、かれらはイングランドのほかオランダとスイスで広範に見られるといいます。

また、ヨーロッパでは、ヨウマンは商人や職人より下層階級と考えられており、そのことも農業を妨げる一要因をなしています。そのほかに、ヨーロッパの昔の政策は、穀物輸出の禁止と国内での農産物の取引の制限を課していたために、古代イタリアの例に見られるように、農業への阻害の大きさは想像を絶するほどのものであったとされています。

3　都市はいかに発達してきたか

▼自治都市の成立

ローマ帝国の没落後、商人や職人から成る都市の住民も、農村の住民と同じく奴隷状態に置かれていました。しかし「都市の住民は農村の土地占有者よりはるかに早く自由と独立の状態に到達し」ます。すなわち、市民たちのなかには請負料を払って国王から徴税請負をまかされ、それとひきかえに免税される者があらわれますが、のちには、この徴税請負権は特定の都市全体のものとなり、自治都市が成立します。このようにして、市民は領主からの身分上の自由と所有権の安全を確保するにいたります。かれらは自由市民として都市共同体をつくり、独自の行政権や立法権を有し、一定範囲の司法権をも手に入れます。また、都市の周囲に城壁を築いて自ら防衛し、一種の独立共和国が形成されます。

国王が定額の徴税請負料収入と引きかえに自分の領土内にこのような都市の特権を認めたことは、不思議に思われます。その理由は、都市の住民が団結して抵抗力を発揮しえたこと、しかも市民の富はたえず領主たちの略奪の対象とされたために、市民と領主は犬猿の仲であったこと、国王もまた領主たちと対立していたので、自らの敵の敵として国王と市民とは期せずして利害が一致したことにあります。このように、スミスは、王政の根拠を階級的利害関係によってとらえ、それは今日の歴史学でも通用するものとされています。

このような自治都市のあり方は国によって違いますが、イタリアやスイスでは、都市の民兵が周辺の貴族を征服するほど強力になったため、貴族が都市に移住せざるをえなくなります。フランスやイングランドでは、諸都市はその代表者を王国の身分総会に送ることを求められ、国王はかれらをこの総会における大領主たちの権威に対抗するひとつの平衡力として利用したこともありました。

▼商業都市の発達

農村の住民があらゆる暴力にさらされていたとき、このように「都市には秩序と善政が、個人の自由と安全とともに確立され」ました。人びとは暴力にさらされていると、「自分に必要な生活資料を得ることでおのずと満足する。それ以上を獲得することは圧制者の無法を誘うだけだから」です。反対に、「人びとはみずからの勤労の成果を安全に享受できると確信すれば、おのずと必需品だけでなく、便益品や趣味品を得ようと努め」ます。それゆえ、必需品以外の物をつくる産業は、農村よりずっと早く都市で営まれました。また、圧制のもとにおかれた耕作者の手にわずかの資本が蓄積されると、かれらは都市に逃げこもうとしました。そこはかれらの安全を保障する唯一の聖域だったからです。

都市の住民は食糧と工業の原料・手段のすべてを究極的には農村からひきださなければなりませんが、とくに海運・水運の便に恵まれた都市の場合、近隣の貧しい農村に依存するとはかぎらず、世界のはてからそれらを自分たちの製造品と交換に入手することができます。このようにして、ある都市は、近隣農村の貧困にもかかわらず、巨大な富と壮麗とに達することができたのです。その最初の例がイタリアの諸都市にみられますが、たび重なる十字軍の大浪費もまた、これらの都市の富裕化にはきわめて好都合でありました。

すなわち、「ヨーロッパの諸国民にふりかかった空前の破壊的狂乱が、これらの共和国にとっては富裕の一源泉だった」と述べて、スミスはヒュームの観点を受けつぎます。また、商業都市の住民は他国の製造品やぜいたく品を輸入して、現物地代部分と交換に大地主の虚栄心を満たしてやります。当時のヨーロッパ商業の大部分は、こうして、自国の原生産物とより文明化した諸国の製造品との交換でありました。こういう製造品への需要がふえてくると、商人は運送費を節約するため、自国内にも同種の製造業をおこそうと努めるようになりました。

▼農業の子孫としての製造業

比較的精巧な製造業は別として、衣服や家具の製造業は、あらゆる大きな国では必ず自国内で営まれました。そのことは、貧国の場合、かえっていっそう普遍的な事実でさえありました。ところが、遠隔地向けの製造業がさまざまの国で確立される場合、二つの異なる方法があったとみなされます。

ひとつは、そういう製造業が、先に見た商業都市の多くがそうであったように、外国製造業を模倣し、外国原料を使用しながら、資本の乱暴で無理な運用によっておこされた場合です。このような製造業は、ある少数の個人の利害や気まぐれによってその立地が確定されます。それは「外国貿易の子孫」にほかなりません。

もうひとつの方法は、遠隔地向けの製造業が、どんなに未開の貧国にも必ず営まれる粗雑な家内製造業がしだいに精巧なものになるというしかたで自然に自力で確立された場合です。これは一般に自国産の原料を使い、そのはじめは、海岸や水運の便からへだたった肥沃な内陸に立地されます。

肥沃な内陸では、耕作者を扶養するに必要な量をこえた潤沢な食糧品が生産されますが、当時もっとも有利であった海運・水運の便が悪いために、その多大な余剰が食糧を安価にし、その結果、多数の職人がその近隣に定住するようになります。職人はその製造品とひきかえに、他の場所よりより多くの原料や食糧と交換します。遠方の市場で交換されるよりも輸送費が節減されることによって、差額地代に相当する収入が農村で増大し、また、耕作者はより安価に製造品を購買することができます。こうして、「耕作者たちは、その土地をさらにいっそう改良し、よりよく耕作することを、奨励もされれば可能にもされ、土地の多産性が製造業を生みだしたのと同じように、こんどは製造業の進歩が土地に反作用し、その多産性をなおさら増進させる。製造業者たちは、はじめのうちはその近隣を充足し、その後自分たちの製品が改善され精巧化されるにつれて、もっと遠くの諸市場を充足する」。というのは、精巧化された製造品であれば、陸運の経費がさほど負担にならないからです。このようなスミスの認識は、今日の経済史学での局地市場圏や国民経済の典型として、その洞察力の深さを高く評価されています。実際に、スミスは、リーズ、ハリファクス、シェフィールド、バーミンガムなどの例をあげていますが、これらの新興産業都市は、いずれもイングランドにおけるその後の産業革命の拠点となったところなのです。そして、スミスは、このようにして成長した製造業を「農業の子孫」と名づけ、これこそが本来あるべき産業成長の姿であることを強調します。

しかし、ヨーロッパの近代史では、農業の子孫としての製造業の発達は外国貿易の子孫としての製造業にくらべてたちおくれていました。むしろ、後者がもたらした最後にして最大の成果が農業の発達であり、その結果としてのみ農業の子孫としての製造業がおこったとみなされます。

4　都市の商業は農業の改良にいかに貢献したか

▼三つの貢献

商業や製造業を営む都市の発達と富とは、それらが所在する農村の改良や耕作に、三つの方法によって貢献したとされます。

第一に、都市は農村の原生産物に手近な大市場を提供することによってです。とくに、都市の周辺の農村は、この市場から最大の利益を引き出しました。こういう近隣農村の原生産物は輸送費があまりかからないので、遠方の農村のそれと同額で販売されると、輸送費の分だけ収入が遠方農村の収入より増えます。それは差額地代にほかなりません。

第二に、都市の住民がその富をもって未耕作地を購買し、その土地を改良したことによってです。商人たちはふつう農村の郷紳《ジェントルマン》つまり地主になろうという野心をもっており、しかもかれらは自分の貨幣を有利に使って利潤をあげるという生活習慣から形成された気質をもっています。それに対して、生来の郷紳は消費そのものが習慣となっているために、土地の改良に資本を投下することをためらいます。商人はふつう大胆な企業家ですから、採算が十分にとれる見通しさえあれば、土地改良に大資本を投じることもおそれません。このような行動、気風、習慣が、都市から農村への資本移動にともなって浸透していくとされます。

第三に、商業と製造業は、戦争や奴隷状態のもとで生活してきた農村の住民のあいだに、秩序と善政を、個人の自由と安全を、導入しました。「このことは、ほとんど注意されてこなかったが、商工業がもたらした諸成果のなかでもっとも重要なものである」とスミスは述べて、従来このことに着目した唯一の人としてヒュームの名前をあげています。

▼諸侯の権力の基礎

外国貿易や精巧な製造業のない国の領主は、余剰生産物つまり地代収入と交換できるものがないので、そのすべてを隷属者や食客に振る舞ってしまいます。それゆえ、領主はいつも多数の家の子郎党、食客に囲まれており、しかも、この寄食者たちは、養ってもらうかわりに領主に与えるべき等価物を何ひとつもたないので、寄食者たちは領主に服従しなければならなくなります。任意解約小作も地主に依存して暮らしているために、無条件で地主に服従せざるをえません。昔の諸侯の権力は、このような権威の上に築かれていました。そして諸侯は所領内の行政、司法、立法のすべての権限をにぎっていました。国王すらその所領内に介入することはできず、国王も国内の最大の一領主にほかなりません。封建法が採用されると、国王の権威が強化され、領主の権威が弱まる傾向が生じましたが、しかし相変わらず領主の力が強すぎたため、国王はかつてと同じく大領主の無法を抑えられませんでした。大領主たちは、ほとんど絶え間なく互いに戦争をくりかえし、国王にたいしてもしばしば戦いをいどみました。このように、城壁などで囲まれていない農村は、いぜんとして暴力と略奪と混乱の場でありました。

ところが、封建的諸制度が達成できなかったことを、外国貿易と製造業の黙々とした活動が、少しずつなしとげました。すなわち、それらは、大地主たちにたいして、かれらが自分の土地の全余剰生産物＝地代と交換できるようなぜいたく品を供給したからです。こうして、「大地主は、自分が収得する地代の全価値を自分だけで消費する方法を発見するやいなや、地代の価値を他人に分けてやろうなどとはしなくなった」とされます。その結果、大地主は自分に与えられたはずの勢力と権威のすべてを手放してしまったのです。それと引換えに大地主たちが得たものは、もっとも子供じみた、賤しい、欲に目のくらんだ虚栄を満たすためのぜいたく品にすぎません。

大地主は、その消費が増大し続けると、さらに地代を引き上げようとします。借地人がそれに応ずることができた条件は、借地契約期間の延長ということですが、ぜいたくな虚栄心にとりつかれた大地主は喜んでこの条件に同意しました。借地人はこうして独立し、大地主の家来の者たちも解雇されてしまうと、大地主はもはやかつての強大な権力を失ってしまいます。こうして、正規の行政が、都市ばかりでなく農村にも行なわれるようになったとされます。「社会の幸福にとって至上の重要性をもつ一変革が、このようにして、社会に貢献するつもりなど少しもない二種類の人びとによってひき起こされた」ことになります。つまり、大地主は、まったく子供じみた虚栄心を満たすために行動し、商人と職人は、少しでも儲けようという小商人根性を貫いて行動したにすぎません。こうして、ヨーロッパの大部分をつうじて、「都市の商工業は、農村の改良と耕作の結果ではなく、その原因であり誘因であった」とみなされます。

▼農業への資本投下

この順序は、しかしながら、事物の自然のなりゆきに反しているので、その歩みは遅くかつ不確実でした。ヨーロッパでは、長子相続法や各種の永代所有権が大所領の分割を妨げ、小地主の増加を困難にしていました。しかも、このような規制の結果、売りに出される土地の量が少ないことと、その価格が必然的に高まることとは、大量の資本が土地の耕作と改良に向かうことを妨げてしまいます。もし分割相続制が実施されれば、より多くの土地が市場に提供され、小資本を土地の購入に用いることが不利ではなくなるはずだとスミスはいいます。

イングランドでは、穀物の輸出奨励金や輸入関税政策によって農業振興策がとられていました。それらの振興策は第四篇では批判されますが、農業の奨励にとってそれらよりもはるかに重要なことは、「イングランドのヨウマン層が、法の許す最大限の安全と独立と尊敬とをかち得ている」ということです。このように、ヨーロッパ随一のイングランドの農業ですら、北アメリカ植民地での発展に比べてはるかに劣るのは、長子相続制によるものだとスミスは確言します。

ところが、商工業によって一国が獲得する資本は、そのうちのある部分が国土の耕作や改良に実際に投下され、不動産化されるまでは、いつ手もとを離れていくかわからない、きわめて不安定で不確実なものです。たとえば、ハンザ同盟諸都市の大部分が所有していたといわれる巨富も、一三〜一四世紀の歴史に記される以外は、そのあとかたもありません。それに対して、イタリアやフランダースの人口の多いところは、もっともよく耕作されてきました。それゆえ、「戦争や政治によるありきたりの変革でも、商業のみに由来する富の源泉を簡単に枯渇させてしまう。ところが、商業よりももっと堅実な農業の改良によって生じる富は、はるかに耐久力があるので、普通の変革よりもいちだんと激烈な動乱でもないかぎりは、壊滅させられることがない」とスミスは第三篇を結んでいます。分割相続制の実現と土地への資本投下の促進、これが自然的な産業発展の基本条件とみなされたわけです。そしてそれが妨げられたために重商主義が生じたとして、第四篇でそれを批判することになります。

IV

重商主義と重農主義

〔『国富論』第四篇〕

現在のグラスゴウ大学の塔――遠景（上）と近景（下）

序論　政治経済学の二つの体系

▼ポリティカル・エコノミー

政治経済学は、当時「経国済民」という意味をもっていました。エコノミーの語源はギリシア語のオイコノミアで家政を意味します。そして国家的《ポリティカル》規模での家政が、ポリティカル・エコノミーだとされたのです。それは今日の経済政策という言葉に似た意味をもっています。

一七六七年、スチュアートは、イギリスではじめてこの語を大著のタイトルに使いましたが、その意味も経国済民です。後年日本にこの語が入ってきましたとき、それはこの原意どおりの意味で迎えられ、それをちぢめて経済学と呼びました。ただ一八七〇年ころ、マーシャルがエコノミックスという語を書名につけてから、この呼称が流布し、これにも経済学という同じ訳語がつけられましたが、最近ではふたたび原意に帰って、政治経済学《ポリティカル・エコノミー》の呼び名が広がりはじめています。

スミスの場合、政治経済学は、法学や政治学と同じように、政治家または立法者の学問です。しかしすべての市民が立法や政治に参加すべき現代民主主義の感覚になおせば、それは市民の学問でなければならないはずです。

スミスによれば政治経済学の目的は、人民と政府をともに富ますことです。この見方は、経国済民という原意からして当然であるかもしれません。スミスはこういって、スミス以前の経済論策を、大きく二つに分けています。重商主義と重農主義というのがそれです。この学派呼称はスミスの命名によるものです。

この二つの体系のうち、重商主義は当時の実際の政策体系です。そこでスミスはこの批判に力を入れており、第四篇全九章のうち八章をそれにあてています。他方、重農主義は、実際の政策体系ではなく、スミスと同様に重商主義批判の学説として主張されただけです。そのうえこの学説からはスミスも大いに学んでいるのですから、スミスはこの学説の批判には最後の第九章をあてているにすぎません。

1　重商主義体系の甚礎原理

▼重商主義的な貨幣＝富観

貨幣経済が発達しますと、封建時代の土地所有にかわって、金銀貨幣が富の代表とみられるようになります。富者をお金持と呼び、金銀財宝の潤沢な国を富国と呼ぶのが、通俗的な常識になります。スミスによれば、貨幣を富と同一視するこの見方が、重商主義政策体系の基礎です。もちろん重商主義者もふつうの消費財が富だということを知ってはいますが、経済政策についての議論を進める段になるとえてしてこのことを忘れて、あたかも金銀だけが富の代表であるかのように表現しています。

金銀貨幣はふつうの商品の価値を表現する財貨です。それは、いわば価値物です。それは普遍的な購買手段で、これさえもっていればたいていの商品を買うことができます。そこで金銀貨幣は価値物として蓄蔵されます。つまり富や価値の蓄蔵手段としての貨幣が、念頭におかれていたのです。これは近代的貨幣経済のひとつの基本的特徴をつかんだものといえます。

こう考えられたため、『外国貿易によるイングランドの財宝』というマンの書物の表題が、すべての商業国の経済政策の基本命題になりました。一国の貿易政策は、輸出超過による外国からの金銀の獲得を目的にしなければならないということになり、この目的を達するためには貿易統制をしなければならないという重商主義政策が生じたと、スミスは考えます。

▼スミスの反論

スミスは『国富論』第一、二篇の基礎理論に立脚して、この重商主義的観点に反論します。富とは、個々の市民の消費財です。しかし金銀は消費対象としてはほとんど役に立ちません。それで購入される消費財が真の富です。だから貨幣をむやみに蓄蔵するのは愚策です。貨幣が手に入ったら、消費財を買うか、ただちに生産財を購入して利潤目当ての資本として運用するのが上策です。つまり貨幣は、ただの流通手段として理解されました。

そのうえ金銀も一個の商品にすぎません。貨幣と商品の交換は、元来、商品と商品の交換にすぎません。貨幣で物が買えるなら、物で貨幣が買えるはずです。問題は、労働の生産性を向上させて、多くの財貨を安価に供給することです。こうしてスミスは、すでに第一、二篇で、貨幣経済論的な重商主義の観点を、生産分析に転回させていたのです。

また一国の金銀蓄蔵は、戦費支出のためにも必要だという意見がありました。スミスはこの点にも反論します。一国通貨の流通必要量は、諸商品取引総額によって規定されますから、金銀貨は、平時にこの必要量を越えれば国外流出が不可避ですし、戦時にこの必要量から多量の金銀をとりさるのも不可能です。しかし高い生産性に支えられた商品、とくに工業製品の輸出力があれば、輸出業者手持ちの外国為替手形を政府が買いとって、その手形に対して現金支払いをしなければならないはずの外国で、必要な軍需物資を買いとることができます。やはり問題は、第一、二篇での諸商品の生産力の問題に帰着します。

▼貿易の真の利益はなにか

この古典派的な生産論の見地からすれば、貿易が一国に与える真の利益は、重商主義がいうような金銀の獲得ではありません。それは国内労働の生産力を改善し、一国の富＝消費財の増加を促進する点にあります。

そこでスミスは、重商主義とは別の観点から、自らの分業と資本蓄積の理論に立脚して、貿易の意義をつかみなおそうとします。国外市場がなければ、国内の分業諸部門の生産力の発達は、早晩壁にぶつかるでしょう。国外市場が開かれていれば、余剰生産物を国外で売りさばけますから、これら諸部門の生産力が大いに増進するのを妨げられることはないでしょう。これが貿易の偉大で重要な任務だとスミスはいいます。

この意味ではアメリカ新大陸やアジアへの航路の発見は、もし自由貿易が行なわれたならば、イギリスやヨーロッパ諸国にとって、無尽蔵の新市場を開放し、右の生産力促進効果を著しくあげたはずです。そして事実のうえでも、ある程度はこの効果がありました。

しかし重商主義的干渉政策は各国において、第一、二篇で想定された自然的な分業構造や資本蓄積機構を、人為的に歪めたために、その利益は大幅に削減されたというのが、スミスの評価です。以下スミスは、どのようにそうだったかについて、重商主義の諸政策をひとつずつとりあげて、批判的に検討します。その政策体系は、輸入制限、輸出奨励、植民地貿易独占という三本柱で支えられています。スミスはこれを六つの論点に分けて、第二章で各国からの輸入制限を、第三章で貿易収支が赤字になっている特定の相手国からの輸入制限を、第四章で輸出奨励のための戻し税を、第五章で輸出奨励金制度を、第六章で金銀獲得のための通商条約を、第七章で植民地貿易独占政策を論じます。

2　各国からの輸入の制限

▼**これは国富増進を妨げる**
イギリスは穀物や毛織物や絹織物などの各国からの輸入を禁止したり、高関税をかけて制限

しました。金の流出を防止し、これら物品の国内生産を保護しようとしたのです。スミスによればこの制限は不合理です。

いっさいの国家干渉がなければ、第二篇でみられたように、一国の資本は農業、工業、国内商業、直接貿易、迂回貿易、仲継貿易の順で投下され、自然的分業構造が形成され、一国の生産的労働雇用力は最大になるはずでした。その際に各個人は、自分の資本を、最大の価値と利潤をもたらすように、運用するはずです。それによって、各人はおのずと、社会がもっとも必要とする生産部門に資本を投ずることになるでしょう。なるほど各人は自分の利害だけを考えるのですが、結果的には、社会の一般的利益の最大限の増進という、各人が全然意図しなかった目的を実現させます。

スミスはこの関係を「見えざる手《インビジブル・ハンド》に導かれて」と、表現しました。この語がでてくるのは、『国富論』全巻のなかでもこの章で一度だけですが、個人と共同体とのあいだの自然的調和の思想を象徴する語として、あまりにも有名です。逆に国益を僭称する国士的商人で、じっさいに共同体の福祉を増進した人はなく、また国家目的をふりかざす政治家の干渉で、じっさいに国民の利益に寄与したことも少ないとスミスはいいます。すなわち国益をふりかざして特定産業を保護する関税政策は、自然に放任された場合に資本が投下されるはずの有利な部門から、資本をもっと不利な部門に移動させるだけで、それだけ自然的分業構造が非生産力的に歪曲され、急速な資本の蓄積が妨げられるだけです。

▼国防産業の保護は賢明だ

しかし国防産業の保護は賢明だとスミスは考えます。市民革命当時、イギリスに脅威を感じさせたオランダの海軍力を減殺するため、イギリスは航海条例を制定して、英帝国諸領域間の海運と遠洋漁業産品のイギリスへの搬入を、イギリス船舶に独占させようとしました。というのも、これらの船舶は、いつでも海軍力に転用されましたから、オランダの商船力を抑えることで間接にその海軍力を削ごうとしたのです。

さきの理論からいえば、これは国富増大にとって有利ではないのですが、国防は富裕よりもはるかに重要だから、この条例は重商主義体系のなかでおそらくもっとも賢明なものだと、スミスはいいます。これは『国富論』のなかでも問題にされることの大変多い命題です。これはスミスの自然的な分業構造論や資本蓄積論に矛盾しないでしょうか。

しかし自由貿易も国際場面での資本の安全が保障されて、はじめて可能です。それは国内の資本蓄積が、国内の財産の安全保障によって、はじめて可能なのと同じです。だからスミスが、国防は富裕より大事というのは、資本の安全は資本の蓄積を可能にする根本要件だといっているのです。

▼自由貿易の回復

スミスの自由貿易主義は、手放しの放任主義ではありません。それは重商主義の一大支柱となった航海条例を激賛するような、資本家的現実主義を内包しています。スミスは当時の現体制にはなんでも反対というわけでもありません。スミスは、国内で課税されているのと同種の商品の輸入に対しての等価関税に賛成していますし、相手国に高関税の撤廃を迫る方便としては、報復関税も是認します。

だからその自由貿易の主張も、主義のためにただちにそれを実施しろというような乱暴な理想論ではありません。そのイギリス人的な論理は、性急な青年の発想であるよりも、はるかに成熟した大人の計算です。だからスミスは自由貿易回復の段取りに想をはせる場合にも、ゆっくり、慎重かつ周到でなければならないといいます。

ゆっくりでなければならないのは、人為的な過保護のために特定産業が肥大化しすぎていますから、その急激な矯正がまた新たな混乱を招きかねないからです。またこの肥大化した産業の特殊利害が、肥大化した軍部と同じように、政府と政治家に脅迫じみた圧力をかけるようになった現在、ただちに完全な自由化を期待するのは、オシアナやユートーピアのような空想的理想郷を期待するのと同じように無理だからです。

しかしそれだけにスミスは、右の混乱がふつう想像されているほど大きくないことを強調し、自由貿易が可能であることを説得しようと努めます。第一に、イギリスの生産力は国際的に優越しており、自由貿易になっても、毛織物や金属工業などの国民的産業は、なんら心配はいらないと、スミスはいいます。第二に、同業組合や定住法や徒弟制度などが廃止されて、国内の資本と労働の自由移動が可能になれば、自由化による分業構造の立て直しも、さほどの混乱を招かないというのです。

3　特定国からの輸入の制限

▼これは重商主義の原理からも不合理

対仏貿易は赤字だと吹聴されていましたから、イギリスはフランスからのほとんどの商品の輸入を制限しました。このように個別的貿易差額の赤字を理由に、特定国からの輸入を制限するのは、金銀獲得のための重商主義の第二の方策でした。

これは重商主義の原理からも不合理です。なぜなら、個別的貿易差額が赤字だからといっても、一般的貿易差額が赤字になるとはかぎりません。フランスからの輸入品を再輸出して、フランスに支払ったよりも多くの金銀を回収することもできるからです。この点は東インド会社に関して、重商主義者自身が強調していたのと同じ理屈です。

そもそも当時は、貿易差額は正確につかめなかったのです。税関の帳簿は、当局の通関価格評価自体が不正確でしたし、為替相場も正確に実勢を表現してはいませんでした。

ふつう輸入超過になった国は、両当事国の新鋳造通貨の純金含有量が等しくなるような為替の算定相場をこえて、打歩《うちぶ》を払わねばなりません。しかし両国でふつうに流通しているふつうの鋳貨の平均的な摩滅度合がちがいますから、逆に、打歩を払うから為替の現実相場（多少とも摩滅した鋳貨の現実の純金含有量比率）が不利だとは、必ずしもいえません。また鋳貨の鋳造費が政府負担の国と私人負担の国とでは、輸出と輸入が均衡していても、為替相場は算定相場どおりにはゆかないでしょう。さらに為替手形が新鋳造鋳貨を代表する銀行券で払われる国と、摩滅した鋳貨で払われる国とでも、算定相場と現実相場にくいちがいが生ずるでしょう。

スミスは、この最後の事情に関してアムステルダム銀行についての余論を書いて、その為替業務をくわしく分析しています。この部分は、どこまでも具体的な事情に精通することによって、重商主義を論破しようとする、スミス経験論の方法と批判意識の鋭さを示しています。が、いずれにしても、重商主義者が吹聴する貿易差額の不利なるもの自体が、いささか疑わしい誇張だということになります。

▼これはスミスの原理からも不合理

特定国からの輸入制限は、もちろん、スミスの立場からも不合理です。

重商主義的な貿易差額説によれば、二国間で貿易収支が均衡すれば、双方損得なしです。均衡がくずれて貴金属が移動しますと、その分だけ入手国は得をし、送金国は損をします。

これに対してスミスの貿易論では、貿易は双方に利益を与えます。まず両国が国産品を輸出しあうのなら、両国は等しい利益を享受します。両国は余剰品を売り、必要品を買うことによって、自国の生産資本を補塡しあい、ともに自国の富と価値を増大させるからです。

またA国が国産品を輸出し、B国が第三国からの輸入品を再輸出し、収支が均衡したとしますと、A国はB国より大きな利益をえます。A国はこの輸出でもっぱら自国の生産資本を補塡しますが、B国はこれをまるごと実現しえないからです。しかし双方とも利得者であることにちがいはありません。

これらの諸命題は、第一、二篇の交換論、生産資本補塡論、資本の投下諸部門論から、当然でてくる結論です。

このようなわけで、貿易は自由に行なわれれば、国際平和の紐帯になるはずです。富と人口の豊かな隣国は、それだけ有効に自国の国富の発達に寄与してくれるはずです。

ところが当時のイギリスは、北アメリカ植民地貿易を独占し、フランスとの貿易を制限しようとしました。スミスの観点からは、これは大変不合理です。北アメリカ植民地は人口三〇〇万、フランスは二、四〇〇万です。これだけでもフランスは八倍の市場を提供しうるでしょう。しかもフランスはすぐ近くの隣国ですから、対仏貿易に従事する資本の回転速度ははるかに高いでしょう。この点を考慮に入れると、フランスは北アメリカ植民地より二四倍もの市場を提供してくれるはずです。対仏貿易制限の愚かさは、じつにこの数字にみられるごとくだと、スミスは考えます。

▼この政策を生みだした主体

ではこの不合理な重商主義政策はどこから生じたのでしょうか。それは商人と製造業者の利己心と利潤欲と独占欲が作りだしたものです。かれらにとっては、近くに同業者がいるのは脅威です。安心して物を高く売ることができないからです。他方、国民にとっては、多くの同業者が近くに住んでいてたがいに競争し、物を安く供給してくれるのが有利です。この点では国民の一般利害と商人や製造業者の特殊利害は対立します。

ところがかれらは、貿易差額の不利や自国産業の危機を吹聴し、国運が衰微するかのような警鐘をうちならして、フランスに対する国民的敵意を醸成しようと努めました。学者もこれに同調しましたし、政治家もこれに迎合しました。迎合的な政治家を、商人や製造業者がほめそやし、財政的に支援しましたし、反対意見のきぜんたる政治家を、かれらがあらゆる手段を使って追い落とそうとしたからです。

こうして重商主義的政策が生じました。そのために、本来国際的な親善と平和の紐帯となるはずの貿易が、かれらの利己的な独占欲のために、国際的敵意と対立の源泉になってしまったと、スミスはいいます。

4　輸出奨励のための諸政策

▼戻し税は合理的

商人や製造業者は、輸入を制限して国内市場を独占するだけでは満足せず、政府の手助けをえて輸出市場を拡大しようとしました。そのために二つの方策がとられました。ひとつは短い

第四章で述べられた戻し税、もうひとつは第五章で批判された輸出奨励金です。戻し税というのは、国内で課税されている商品を輸出したり、外国から輸入され関税を課された商品を再輸出するとき、これらの税の全部か一部を払い戻すことです。政府はこれによって、輸出や再輸出を奨励し、金銀獲得を助成しようとしたのです。

ところがスミスは、これを合理的だと評価します。なぜなら、たとえば輸入関税はまえにみましたように、自然的分業構造を歪めますが、関税の払戻しは、この歪められた構造に自然的均衡を回復させる作用をもつからです。

だから戻し税を合理的だとみるスミスの論述には、かえって第二篇第五章の自然的分業構造についての生産力理論が、貫かれているといえるでしょう。

▼輸出奨励金は分業構造を歪める

イギリスもさまざまな商品に輸出奨励金を与えました。その商品の生産を援助し、輸出増大と貿易差額の改善をはかったのです。

しかし元来、自力で運営できるような部門は奨励金など必要としません。それがなくても自然に輸出はのびるはずです。逆に奨励金のおかげで営まれるような貿易というのは、それなしでは損を出すような貿易でしょう。政府はこの不利な部門を手助けして、国民の税金でその損失の穴埋めをしたわけです。

もし政府の援助がないなら、自力でやってゆけないような不利な部門へは、資本は投下されなかったでしょう。資本はもっと社会の必要とするような、したがって自力で利潤をもたらしうるような部門へ投下されたでしょう。

この意味では奨励金は、重商主義の他の方策と同じように、一国の資本を、もっとも生産的な部門から、はるかに利益の少ない部門へ、人為的に移動させるだけです。そしてそうすることによって、もっとも生産力的な自然的分業構造が政策的に歪められますから、この政策はそれだけ一国の生産力と資本蓄積の発展を阻害することになります。

しかし、だからといってスミスはあるゆる奨励金に反対しているわけではありません。スミスは捕鯨船への奨励金を是認します。これは、遠洋航海向け船舶を維持して、間接に海軍力と国防に備えようとしたもので、その論理は航海条例を是認したのと同じです。

▼これは資本蓄積を阻害する

重商主義期のイギリスは、時期によってかなりのちがいがありますが、穀物の輸入制限と輸出奨励を同時に行なっていました。農業を保護し貿易差額を改善しようとしたのです。輸出奨励金は一般に分業構造を歪め、間接に資本蓄積を妨げますが、なかでも穀物輸出奨励金は、賃銀を引き上げ、直接に資本蓄積を妨げます。

この奨励金は、豊年に穀物輸出を人為的にふやし、国内穀価を維持しますから、その分だけ、凶年には国内の穀物不足をひどくし、穀価を高めます。だからこれは豊凶をとおして、穀物価格をつりあげます。そのためこれは、名目賃銀を引き上げ、一国の資本の生産的労働雇用力を弱め、資本蓄積を妨げます。

穀価が上がると、それにつられて工業の原料になる粗生産物の価格も上がるでしょう。こうして原料費も賃銀も上がりますから、工業製品価格も上がるでしょう。だから穀価騰貴で地主の貨幣地代は上がるでしょうが、その実質収入はふえません。農業資本家の貨幣収入もふえますが、その労働雇用力はかえって減ります。だから農業生産を拡大するのも困難です。そのうえこの国内物価上昇は、この国の産業の国際競争力を弱体化させるでしょう。

こうしてこの奨励金は、一握りの穀物輸出入商以外にはだれの利益にもならず、農業を奨励することにもなりません。重商主義の干渉政策の狙いは、なにひとつ実現しないというわけです。

▼輸出入統制と近代的市民権

穀物の輸出入を規制しようとした穀物法は、さきの航海条例とならんで、イギリス重商主義の一大支柱でしたから、スミスはこれについて長い「余論」を書いています。はたして穀物商業への干渉は必要でしょうか。

スミスによれば、国の内外にわたって穀物商業が自由に行なわれるならば、穀物商業は国民の利害におのずと一致するはずです。なるほど国内穀物商は、不作が予想されるとすぐに穀価をつりあげたりしますが、そのため人びとの消費が節減され、かえって凶作時の穀物不足が緩和される結果になるでしょう。穀物貿易商人も、各国の穀価の動きに敏感に反応して、結局各国の穀物の過不足調整に奔走することになるでしょう。だから政府が穀物商業に干渉する必要はないと、スミスは考えます。

こうしてすべての国民が自由貿易をするなら、各国間の関係は、一大帝国内の各州間関係と同じになるだろうという、きわめて大胆で楽観的な展望を、スミスは述べているほどです。運輸手段が発達すれば、自由貿易は、ある国の凶作を他の国の豊作で埋めあわせてくれるだろうからです。

当時イギリスの進歩と繁栄は、重商主義政策のおかげだという意見がありました。スミスがこれを否定するのは当然です。かれによればそれは、市民的自由と財産の安全という近代市民権の確立のおかげです。この市民権の確立は、穀物奨励金の制度が始まったのと同じ時期の市民革命によるものでした。そしてイギリスの急速な発展はそのあとに生じました。だがそれは、奨励金によるのではなく、それにもかかわらず生じたというのです。近代的市民権の保障さえあれば、あれこれの重商主義的諸規制にさらに二〇の有害な規制をつけ加えたところで、国富を増進させるには十分だとみられているのです。

このように近代的市民権の確立を、生産力近代化の根本要因とみる自らの見解を、かれは、イギリスがスペインやポルトガルを追い抜いて繁栄した史実によって根拠づけています。これら両国にも、数多くの奨励や統制がありましたが、市民革命と市民権がなかったのです。

5　金獲得のための通商条約

▼特恵条約は不合理

一七〇三年にイギリスはポルトガルとメシュエン条約を結びました。その内容は、ポルトガルが英国産毛織物を従前どおりの関税率で、イギリスがポルトガル産ブドウ酒を割安の特恵関税率で、輸入するというものでしたから、これはイギリスに不利な条約でした。

しかしこの条約の真の狙いは、例によって貴金属の獲得という点にありました。イギリスは毛織物の輸出力には自信がありましたから、ポルトガルへの輸出超過分で、この国がブラジルから運びこんだ金を、自国へ流入させようとしたのです。そしてまた事実、イギリスの金はほとんど全部ポルトガルからくるといわれたほどでした。

しかしスミスにいわせれば、この狙いはまったく無意味です。この国から金を入手しなくても、どこか他の国への輸出がふえれば、その代金はおのずと手に入りますし、逆にポルトガルから金が多量に入っても、それが流通必要量をこえますと、過剰金はおのずと国外に再流出してしまうからです。

▼鋳造奨励も不合理

金属鋳貨が豊富であれば、有効需要がふえて、商業の発達に好都合だろうという観点から、イギリス政府は鋳造費を自ら負担して、鋳貨の鋳造を奨励しようとしました。この無料鋳造制も、市民革命後間もなくはじまったもので、スミスのみるところでは、大変重商主義的なものでした。

貨幣や鋳貨については、第一篇第四章か第二篇第二章で論ずべき場所があったのですが、スミスは奇妙にも、この無料鋳造制を、金貨獲得のための通商条約と同性質のものとみて、ここで批判の俎上にのせています。

いまふつうの鋳貨が平均二％摩損しているとしますと、金地金は、鋳造価格よりその分だけ多額のふつうの鋳貨と交換されます。この場合中央銀行が手持ちの地金を、金ピカの新鋳貨に鋳造したとしましても、それを受けとった人はすぐそれを地金に溶解し、ふつうの鋳貨と交換し、二％の利益を出すことができます。だから新鋳貨はつぎつぎにもとの地金に変身し、中央銀行がいくら鋳造に精をだしても、鋳貨補充の効果はあがりません。この意味だけでも無料鋳造制は不合理です。

他方、右の摩損率に匹敵するわずかな鋳造料を徴収すれば、鋳貨の価値がその分だけあがりますから、右の不合理な溶解はストップし、中央銀行の鋳貨補充のための鋳造も、ごくわずかですむことになるでしょう。

しかも鋳造料の分だけ鋳貨の価値があがるのですから、一国の生産物を流通させるために必要な流通鋳貨量が少なくてすむことになるだけで、この鋳貨を手にするだれかが損をするわけではありません。明らかに穏当な鋳造料徴収は、穏当な措置だということになります。

6　重商主義と植民地体制

▼植民地建設の動機

『国富論』は一七七六年、アメリカ独立宣言の年に出版されました。植民地問題はイギリスが抱えこんだ重大問題でしたから、スミスは第四篇の優に三分の一をこの問題に当てています。『国富論』全体の最後の文章も植民地解体論で結ばれているほどです。かれは重商主義体制の矛盾と行きづまりを、植民地体制の行きづまりのうちにみているのです。はたして植民地は合理的な動機と有益な効用をもっているでしょうか。

この点で古代植民地は簡単で明瞭です。ギリシアの植民には、過剰人口に新しい居住地を与えるという動機と効用がありました、ローマ帝国の場合にも、土地所有の不平等化がひどくなったために貧困化した自由民に、新しい土地を分配してそれを救済する必要から、植民が行なわれました。

しかし近代の植民は当初からその動機と効用が混乱しています。スペインは東インドへの航路を探そうとの動機から、アメリカを探し当てました。元来地中海経由でヴェニスが独占していた香料取引への割込みを狙って行なわれた冒険が、中南米での金銀鉱開発をひきおこしました。このことは後年諸列強の北アメリカへの植民を誘発しましたが、ここには金銀はありませんでした。当初の動機と実際の効用はちぐはぐにくいちがっています。いずれにしても近代の植民の動機は、古代植民地とちがって、なんらかの合理的必要から生じたのではありません。スミスはこういって、この植民地が後年醸成した諸矛盾が、当初の動機の不明瞭さに根ざすものであったことを、予示しています。

▼植民地繁栄の原因

一六世紀末に排他的なスペインの勢力が失墜したあと、他の諸国の植民が進展しはじめました。これらの植民地は、当初の動機だった金銀鉱山の開発には失敗しましたが、農業を発展させました。とくに各植民地で独占会社が廃止されてからは、進んだ技術の導入と良質な土地が豊富だったため、これらの植民地の発展は一般に急速でした。なかでももっとも急速に発展したのは、イギリス領北アメリカ植民地です。

スペインやポルトガルやフランスの植民地は、それぞれ母国の絶対主義的専制政治を植民地に持ちこみましたから、これは、生産力抑圧的に作用しました。ところがイギリス領植民地では土地所有も近代的であり、広大な未耕地を領有したり土地の自由売買や分割を制限したり重い課税を負わされることもありませんでした。議会の権威も高く、それは本国よりむしろ共和主義的で、財産権、自由権も本国なみに認められていました。労働力不足のため賃銀は高く、容易に独立自営の生産者になることができました。つまり利潤や地代が賃銀を蚕食する度合が少なかったのです。働けばその所産を自ら享受できる度合が大きく、労働と生産が刺激されたのです。

『国富論』を一貫するスミスの生産力理論からも当然ながら、スミスはこの点に北アメリカ植民地の急成長を支えた条件をみています。イギリス領植民地は、生産力の自然的条件と政治的・社会的条件をともに備えていたとみられていたわけです。

▼植民地政策

この条件のもとで、イギリス領植民地の資本はおもに農業に投ぜられました。資本は不足気味でしたから、工業も未発達で、商業や貿易に資本を投ずるゆとりもありませんでした。だからこの分業構造は、スミスには、第二篇第五章や第三篇第一章の資本の自然的投下順序や富裕の自然的進歩によって形成された理想的典型にみえました。だからその発展は急速だったというのです。

しかし植民地は農業以外の部門を欠いていたのではありません。その栽植農業の発展は貿易なしでは不可能でした。この点は本国の植民地政策に強く関連するのですが、植民地の商工業を本国資本が補完的に担当していましたし、植民地農業を、本国資本がその再生産機構に組みこんでいたのです。

イギリスは、多くの植民地産品のヨーロッパ向け輸出と、ヨーロッパ産品の植民地向け輸入とを、政治権力を介して独占していましたし、製鋼業や毛織物工業など、本国工業と競合しそうな高度な工業が、植民地で発達するのを禁圧しました。貿易を独占したうえに、本国資本が供給する工業品だけを使わせようとしたのです。ですから、イギリスの植民地行政が、他国にくらべて最善で自由だったといっても、それは相対的なことでしかありません。

このように、植民地で資本がなによりもまず農業に投ぜられたのは、おのずと自然にそうなったただけではなく、右の統制政策の影響も受けているはずですから、植民地の発展順序とその分業構造がそのまま、第二篇第五章や第三篇第一章どおりのものだったとはいえないかもしれません。

それでも植民地は急速に発展してきたのですから、これまでのところ右の植民地政策は、植民地の産業の発達を妨げなかった、とスミスはいいます。しかしこの統制は、もともと人類のもっとも神聖な権利の侵害ですから、植民地でその自然の勢いからして、自ら工業や貿易に乗りだす能力がでてくれば、この統制は植民地にとって真に抑圧的で耐えがたいものになるだろうと、スミスは考えます。

▼ヨーロッパの得た利益

新大陸と東インドへの航路の発見は人類史上もっとも偉大な発見だったとスミスはいいますが、このうち新大陸の発見はヨーロッパにどんな利益をもたらしたでしょうか。

一般的にいえば、新大陸と旧大陸との貿易の増進のおかげで、ヨーロッパ全域での新しい物品の享受がふえ、その産業が発達しました。直接に貿易した国はもとより、他国の迂回貿易で間接につながった国にも、この効果は波及しました。ひいては、これらの国々での産業の発達が、一見新大陸貿易とは無関係にみえる諸国にも、右の効果を波及させた、とスミスは考えます。

では新大陸は、植民地領有国に対しては、どんな特殊的利益を与えたでしょうか。この点ではスミスの評価はネガティブです。スペインやポルトガルを除けば、植民地から租税収入を得た国はありませんから、植民地は母国にとって財政的にはなんの利益もないどころか、イギリスにとっては莫大な財政支出の原因です。だから領有国の利益は、植民地貿易を排他的に独占したことに尽きます。しかしこれは、領有国の貿易と産業の全体にとっては、絶対的にも相対的にも、予想外の不利益をもたらしていると、スミスは考えます。

▼植民地貿易の独占と分業構造の歪曲

植民地とヨーロッパとの貿易をイギリス資本に独占させますと、この資本は植民地でもヨーロッパでも買手独占、売手独占の地位を占め、安く買って高く売り、独占利潤を手に入れることができます。そこで元来イギリス近海で直接貿易に従事していた資本の一部がこの部門に流出しますから、この近隣貿易では競争が緩和され、利潤率が高まります。と同時に、近隣の直接貿易は萎縮し、遠隔の迂回貿易や仲継貿易が肥大化します。貿易構造のこの変化に応じて工業も、近隣諸国向け工業が衰微し、植民地向け工業が肥大化します。そのうえ工業や農業からも資本が植民地貿易にひきよせられるでしょう。こうして本国の分業構造の自然的均衡は、全面的に破壊され、歪曲されてしまいます。

ところで第二篇第五章の命題を援用すれば、この歪曲は本国の資本蓄積を妨げることになります。まず迂回貿易や仲継貿易は直接貿易よりも生産的労働雇用力が少ないのですから、右の貿易構造の歪曲は、本国の生産的労働雇用力を弱めます。また遠隔地との貿易が肥大化しますと、資本の回転速度がおそくなり、農工業で使用される生産資本の回収もおそくなりますから、本国全体の拡大再生産の拡大テンポが、その分だけ妨げられます。

さらに貿易部門での利潤率上昇は、産業全般の平均利潤率の上昇を誘発するでしょうが、スミスによれば、高利潤率というのは、原料生産から製品小売までの各段階で累積的に価格に積みあげられますから、高賃銀以上に物価引上げ要因になります。そのためイギリス製品は近隣貿易で、外国商人に売り負かされることになるでしょう。

▼貿易は有益だが独占は悪い

このように重商主義的な植民地貿易独占政策は、国富増進にとってはるかに有利な近隣貿易を衰退させ、はるかに不利な遠隔地との貿易を肥大化させました。また国内工業を、遠隔の一大市場に過度に依存させ、その均衡のとれた編成を妨げました。これは人の体にたとえれば、ひとつの局部器官を不自然に肥大化させ、危険な病気にかかりやすくしたようなものです。だから一度アメリカ情勢が不穏にでもなろうものなら、大ブリテン全体が一種のパニック状態に陥ることになるのです。

このように貿易の独占は有害です。独占は生産的労働への需要増大を妨げ、賃銀上昇を阻止します。それは農業から資本をひきあげ、地代の増加を妨げます。それは利潤の率を高めますが、必ずしも利潤の総額をふやしません。小資本に対する高利潤率より、大資本に対する低利潤率の方が、利潤総額を大きくするからです。こうして独占は、三大所得すべての自然的増加を害すると、スミスはいいます。ひとにぎりの植民地貿易商人の独占欲のために、国民全体が犠牲にされているというわけです。

反対に自由貿易だったら、資本は自然な順序で投下され、自然的分業構造が形成され、農工業の生産力はもっとも急速に向上し、これを基盤に直接貿易がもっと急速に発展し、これを基盤に植民地貿易も大いに発展したでしょう。国際貿易に占めるイギリスの分け前は、いまよりかえって大きくなったはずだと、スミスはいいます。

▼植民地をめぐる諸列強の対立

植民地貿易独占政策は、資本の投下順序を転倒し、分業構造を歪曲することによって、資本蓄積を阻害するだけではありません。それは諸列強の政治的・軍事的対立をひきおこすことによってもまた、資本蓄積を妨げます。

スミスによればこの政策は、国家権力によって他国の利益を排除して、自国の産業と貿易の相対的優越を確保しようとするものです。一国のこの権力体制は当然他国の権力的対抗を誘発し、こうして国際政治の緊張や、ひいては植民地争奪戦争をひきおこすことになります。一八世紀のいくつもの諸列強間の戦争は、実際にこのような植民地争奪戦であったと、スミスはみています。

この政治的・軍事的対立のために、イギリス国民は平時にも軍備をととのえ、戦時には莫大な戦費に耐えねばなりません。戦時には巨額の公債を買わされ、平時にはその利子支払と元金償還のために租税を増徴されます。このため国民の貯蓄余力が減退し、収入の資本への転化と、生産的労働雇用力が阻害されます。他方公債は、軍隊などの不生産的労働の雇用にあてられますから、一国の分業構造は非生産力的なものになります。こうして諸列強の政治的・軍事的対立は、さもなくば節約されて生産的労働者を雇用するはずの元本を、不生産的労働者の雇用に転向させてしまいます。

18世紀はじめのニューヨーク港

▼植民地の母国への反抗

前述のように植民地に対する貿易独占と工業抑圧の政策は、アメリカで工業が発達するようになると、植民地にとって真に耐えがたいものになるのが必然でした。もともとそれは人類の神聖な権利の歴然たる侵害だったのです。こうして植民地の資本家と住民が、本国に対して不退転の政治的・軍事的反抗を決意するのも必然でしょう。実際、アメリカ独立宣言はこの決意の宣言にほかなりません。

この反抗を武力で抑えようとすれば、元来同胞の市民が互いに血で血を洗うことになるばかりか、本国国民はいっそう巨額の租税と公債と不生産的出費を背負わされ、これは本国の資本蓄積にとって破壊的な重荷となるでしょう。

植民地に関する当初の国家目標は、その貿易を規制して本国産業の発達を助成することだったのですが、事態の必然的推転は、この目標とは正反対の結末に終わってしまいました。イギリス国民が引き出すのは損失ばかりになってしまったのです。

もともと本国の資本が自らの利潤を独占する目的で、政府をそそのかして重商主義政策をとらせたのでしたが、これは諸列強の政治的対立と植民地の政治的反抗を生みだし、結局、資本の蓄積を阻害することになってしまいました。スミスは経済と政治との相互作用のうちに現われる、資本のこの矛盾した運動を、くわしく描きだしています。経済と政治との相互作用についてのこの分析から、スミスは旧植民地体制解体の必然性を正しくつかみだしていますが、この点にはスミス政治経済学の方法的特質を読みとることができます。こうしてスミスは、事態がここまできてもなお植民地を武力で制圧できるなどと思っている人は、よくよくの低能だと断言しているほどです。

▼植民地の合邦か分離か

このようなわけで、重商主義的植民地支配の国家目標は、幻の目標です。植民地支配が本国国民に高慢なプライドを与えたとしても、これはただの幻の光栄でしかありません。このことから端的に引き出される結論は、植民地放棄論《ギブ・アップ》か分離論《セパレーション》でしょう。そのうえで自由貿易をすれば、それは両国民の利益と親愛の源泉になるでしょう。しかし本国で永年享受された既得権益は、この率直な提案をかえって幻の提案として葬り去ることでしょう。この現状に立ってスミスは、もっと妥協的な合邦論《ユニオン》の可能性を探ろうとします。

本国が植民地といっしょにやってゆこうというのなら、植民地にも本国同様の租税を分担させ、本国国民の租税負担を大いに軽減すべきです。しかし市民革命の精神からいっても、課税は、自らの議会の承認を経て応ずべきものですから、そのためには植民地住民も本国人同様議会に代表を送る権利をもたなければなりません。すなわち両地域差別なしの統一的な合邦が必要です。

もっとも、独立戦争の戦雲が急を告げていた当時、両地域の人びとの精神状態が高ぶっていましたから、この妥協案が実現しそうな雲行きともみられませんでした。そしてこの合邦案が実現しないというのであれば、植民地を放棄し分離する道だけが残されるでしょう。なぜなら、植民地武力支配の維持はよくよくの低能にならなければ主張しえませんし、植民地解放は、ほかならぬ本国国民を、有害な過重負担から解放してくれるからです。

▼東インドの場合

アメリカ貿易の一国民による独占も一種の重商主義的独占ですが、東インド貿易の特権会社による独占もまた一種の重商主義的独占です。スミスによれば第二種の独占は第一種の独占よりも、いっそう明白に不条理です。

東インド会社の独占権と高利潤と仲継貿易的性格は、すでにくりかえし述べました理由から、本国の資本蓄積と分業の構造を歪曲しました。この独占会社は、ごまかしと征服によって統治権を獲得し、会社利潤のためにこの統治権を奉仕させました。原地住民が自発的に服従するわけがありませんから、その統治は軍政的・専制的でした。もともと商社と統治者は正反対の性格のものですが、そのためこの独占会社は、現地産業の発展に心をくだくどころか、けしの栽培やアヘンの売買にみられるように、独占利潤のためには、残酷なあらゆる不正行為を行ない、原地産業の統制はおろか、直接にそれを破壊したりしました。

ですからこの特権会社は、どちらからみても大変な厄介ものです。本国にとっては不都合でしたが、現地の国々にとっては破壊的でした。個々の商社員も、もっぱらその利己心から、悪どい荒かせぎと蓄財に明け暮れました。もし交易が自由ならば、自然にこの地に波及するはずの知識と文明的改良は、新大陸でと同じく東インドの原住民にとっても、不幸のうちに沈没してしまったのです。

それでもスミスは個々の商社員の利己心そのものを非難しているわけではありません。その利己心の作用をこのようないまわしい方向に歪曲させた独占会社の制度を非難しています。もしこの制度が廃止され、自由交易が行なわれれば、商人の利己心は本国と東インド両者にとって、もっと有益な方向へ向けられたはずだと、スミスは考えます。

7 重商主義についての結論

スミスは『国富論』第三版（一七八四年）に「重商主義体系についての結論」と題した第八章を追加しましたが、そのおもな内容は、これまで十分論じられなかった原料、機械、技術の輸出入統制についての議論を補い、あわせて重商主義全般についての結論的評価を書き加える点にあります。

▼原材料輸入の奨励

重商主義的貿易政策は、完成品については輸入抑制、輸出奨励という形をとりますが、原料などについては輸入奨励、輸出抑制という逆の形をとります。

各種の工業用原材料は、関税免除か輸入奨励金によって、輸入が奨励されました。関税が免除されたのは、羊毛や原綿やイギリス領植民地からの皮革原材料や銑鉄などの輸入で、当時の重要原材料の大部分を網羅しています。奨励金はおもにアメリカ栽植地からの船舶用品、染料、麻、生糸などの輸入に与えられました。

政府がこの政策をとったのは、国内工業の原材料コストを引き下げることによって、完成品の輸入を阻止し、輸出をのばそうとしたわけですから、その窮極の狙いは有利な貿易差額によって国を富まそうとした点にあります。しかし右のうち免税輸入は事実上自由輸入ですから、スミスがこれを正当で合理的だとみなすのは当然です。

▼原材料輸出の抑制

羊毛の輸入奨励に対応して、その輸出は絶対的に禁止されました。これは、毛織物工業に、牧羊業に対する買手独占の地位を与えて安い原料を確保させ、毛織物業の発展とその完成品の輸出増進をはかろうとしたものです。毛織物業資本は、自らの繁栄が国の繁栄に等しいことを立法府に説得し、広く農村に散在して団結不能な牧羊業者の犠牲によって、自らの利潤を確保したわけです。

ただ牧羊業者の収入は羊肉からも得られますし、羊毛での損失を羊肉で埋めることもできますから、全体としては大きな損害はうけないかもしれません。だから羊毛輸出の絶対的禁止は不当だとしても、羊毛に相当な輸出関税をかけて、毛織物工業にも利益を残し、牧羊業の損失をも軽くしつつ、財政収入の一助にするのは正当だろうと、スミスは考えます。この点でもスミスは手放しの放任主義者ではありません。

羊毛のほかにもいくつかの工業の原材料、半製品の輸出には高い関税がかけられましたし、織物業の機械の輸出や工匠の国外移住も禁止されました。前者が死んだ用具だとすれば後者は生きた用具であって、機械と技術の輸出はどちらも、外国工業の競争力育成に力を貸すことになるだろうからです。

▼ 重商主義政策の考案者と目的

生産の資本家的目的は貨幣と利潤の追求です。スミスによれば重商主義政策は、資本家的生産者が、政府をそそのかしその強制権力を借りて、自らの目的を独善的に達成しようとしたものです。第四篇第一章は、重商主義の目的が貨幣だといって、その批判をはじめました。第四篇第八章の結論は、それが生産者のために、生産のための生産を助成したといって、その批判を結んでいます。この前後二様の批判は、資本家の生産の目的が貨幣であるかぎりでは、たしかに首尾一貫しています。

スミスの自然法的歴史観によれば、生産の本来的・自然的目的は、消費です。消費者の生活水準を豊かにすることです。だからスミスは、重商主義が、生産者の利潤のために消費者を犠牲にしたといって、それを批判します。

この啓蒙的観点からスミスはもう一度、第二、三章の輸入制限政策、第四、五章の輸出奨励政策、第六章の通商条約、第七章の植民地政策を、総括的にふりかえっています。これらはいずれも貨幣獲得か生産者の独占的利益のために、消費者のほんとうの利益を犠牲にするか、消費者に物価高と租税増徴を負担させるものばかりでした。

ここに消費者というのは、これまでくりかえし出てきた国民という意味です。両者は相互に読みかえが可能です。また生産者という語には、貿易商人も製造業者も農民も含まれています。それというのも、第二篇の生産的労働論にみられるように、スミスにとっては商業もまた生産部門のひとつだからです。

誤って広すぎる意味をもたされたこれらの生産者のなかでも、重商主義のとくに重要な考案者は、貿易商人と製造業者です。しかもときには植民地貿易商人とか毛織物業者のために、国民ともども他の大多数の生産者が犠牲にされていることもあります。ここにみられる政策の不公平さもまた、スミスの論難の的になっているわけです。

このようにスミスには、重商主義が強制権力によって資本の利潤追求を助成したという批判がみられますが、後年マルクスが原始蓄積過程と呼んだような意味で、こうした物価引上げ・租税増徴政策を賃銀労働者創出政策だとする理解はありません。スミスとマルクスのちがいは、スミスの批判が、利潤獲得の強制権力による助成に向けられ、市民権と自由にもとづく利潤の生産には向けられなかった点にあります。というのも、個々の生産者が貨幣と利潤を追い求めたとしても、この自由の体制のもとでならば見えざる手に導かれて、消費者と国民の富が増進されるはずだ――ということを論証するのが『国富論』の狙いだったからです。

8　重農主義体系

▼重農主義とスミス

イギリスだけでなく当時のフランスでも、その絶対王制下の重商主義を批判する学説が生まれていました。スミスはこれを重農主義と名づけました。というのもスミスのみるところでは、この学説は重商主義が一方に曲げすぎた棒を、反対方向に曲げすぎたきらいがあったからです。スミスは両学説のあいだに見出されるはずの、中道をゆこうとしたのでしょう。

しかしスミスは、この学説が全体としては正当で自由な体系であり、真理にもっとも近い学説だと評価しました。国富を貨幣ではなく消費財と理解した点でも、生産資本の意義を明確にした点でも、剰余価値を流通過程ではなく生産過程でとらえた点でも、資本の再生産機構を分析した点でも、スミス自身が重農主義の独創性から深く学び、かつ批判を試みているのは、第二篇にみられるとおりです。

そのうえこの学説は、どこかの国で現実に行なわれたわけではありませんから、第四篇でのスミスの論述は、重商主義にくらべてしごく簡単です。

▼悪政と国富増進

ケネー

重農主義の始祖ケネーは、社会を、地主・農業者・商工業者に区分します。スミスの理解によれば、地主は土地を貸して地代を受けとり、土地改良のために投資して利潤か利子を受けとります。農業者は原前貸と年前貸を投じて農産物を生産し、前貸を回収したうえに、地代を生産します。そしてこの地代が純生産と呼ばれ、唯一の剰余価値だと考えられました。商工業者は雇主の生活費と労働者の生活費と原材料費を投下しますが、その生産高はこれを回収するにすぎません。かれらは地代を生産しないという理由で、不妊的・不生産的階級だとみなされました。

もちろんこの不生産的階級も大いに有用です。かれらは農村から自らの再生産に必要な食料や原料を受けとりますが、農業の再生産を可能にするための工業製品を供給するからです。ケネーの場合、完全な正義と自由と平等とが、その再生産論的分業関係にみられる三階級の共存的繁栄を最高度に保障する単純明快な秘訣です。この自由主義の立場は、スミスの立場と完全に合致するものです。

しかし重農主義は、重商主義が地主の浪費や不生産的階級を優遇し右の自由を侵害しますと、その侵害の度合に応じて、国富の再生産規模は年々縮小すると考えます。フランス絶対王制下の経済疲弊がまさにそれだというのです。スミスはこの見方には賛成しません。人間の体にも、少々の不養生にもかかわらず健康を維持する力が内在していますが、これと同じで、政治体も少々の悪政にもかかわらず、各市民の賢明な努力によって国富の増進は可能だとスミスは考えます。この点は、市民革命後のイギリスの繁栄を体験したスミスが、ときおりくりかえしていることです。

▼商工業も生産的である

しかしこの学説の主要な誤謬は、商工業を不生産的だとみた点です。二人の子を生む夫婦は三人の子を生む夫婦とちがって、不妊的・不生産的だとはいえませんし、商工業者が兵士や召使と同じで、富の生産に直接寄与しないともいえませんし、商工業者が、自分で消費した物とその価値を、年々ちゃんと再生産しているのはたしかですし、商工業者も農業者と同じように、その収入を節約して追加的に投資しうるはずです。

もっともスミスのこの批判は、商工業という語から商の一字を削除しなければ、正しい命題にはなりません。スミスも、農業だけを生産的だとする重農主義の学説を、曲げすぎているからです。ここでもスミスは誤って、商業を運送業なみに生産的だとみています。

スミスは非常に鋭く、地代や商工業者、農業者の前貸のなかに資本の利潤があることを探り出しています。商工業者の前貸のうち雇主の生活費というのは、利潤にほかなりません。その回収というのは、利潤の生産と実現にほかなりません。農業者についても事情は同じです。重農主義は利潤を、地代や賃銀と混同し、地代を納める農業だけを生産的だとみ、そのうえで社会を、半ば封建的な形で地主と農民と商工業者に区分しているのです。

スミスはこの利潤を史上はじめて地代や賃銀から区別して、農工商いずれをも問わず労働一般が生産した価値の一部を、資本が控除する剰余価値だと規定しました。同じく土地所有が控除する部分は地代です。すなわちスミスははじめて、労働価値説に立脚して、資本主義社会の剰余価値を説明したのです。そしてこれらの三大所得の区別とともに、スミスは、ケネーの士農工商的階級区分を克服して、資本家・地主・労働者という近代的階級区分を確定することができました。これらの点はもちろんスミスの偉大な功績です。

▼自然的自由の体制

前述のように重農主義を政策として採用した国はありません。しかしその影響を受けたわけでも自由を保障したわけでもありませんが、農業を重視するあまり商工業を軽視した国はあります。鎖国制やカースト制や奴隷制のもとでの中国やインドや古代諸国などがその例です。重農主義とは直接の関係がなく、比喩的にしかつながりそうもないこうした事例に、スミスが若干の紙数を費やしていますのは、重商主義とは逆に、田舎の農業を人為的に奨励しようとしても、商業が抑制されるなら、奨励するつもりの農業の発展自体が阻害されるはずだということを示すためでしょう。

そうだとしますと、人為的な干渉と統制の政策なるものは、商工業を優遇しても農業を優遇しても、どちらも不首尾に終わることになります。重商主義の不首尾な解体の必然性については、すでに前述のとおりです。

こうしてどの産業かを優先させたり制限したりする体制が廃止されますと、そこには自然的自由という単純明白な体制が確立されるはずです。この体制では全市民が近代的市民権を自由に行使しうるはずであり、政府は個人の勤労と営業を、監督したり指導したり誘導したり、取り締ったりする複雑怪奇で効果のない義務から、解放されるでしょう。

しかしこの自然的自由の体制においても、政府の役割はゼロになるわけではありません。第四篇のさきの章で述べられたように、国防は対外的に資本の安全を守ることによって、国際貿易を可能にするもので、これは国家の第一の義務です。第一、二篇で説かれた国内における自然的な分業と資本蓄積の展開も、国内での私有財産と資本の安全保障によって、はじめて可能です。だから司法が国家の第二の役割です。また各市民も各企業も私的利益の追求に明け暮れているこの自由の体制で、社会の総資本にとってはたしかに有益だけれども、私的な企業の採算に合わないため放置されるような事業もあるでしょう。このような性格の若干の公共事業を行なうことは、国家の第三の義務だとスミスはいいます。

このような役割を国家が果たすためには、財政的裏付けも必要ですが、これらの諸点をめぐっての分析は、第五篇の主題となります。

V

自然的自由の体制と政府

〔『国富論』第五篇〕

「スミス生誕地」と記されたカコーディの道路標識（上）と，スミスがよく訪れた友人オズワルドの家（下）

序論　『国富論』第五篇の読み方

▼誤解のなかの第五篇

さて、前章末尾の約束にしたがって、スミスは第五篇で政府の三つの役割を論ずるわけですが、ここでどうしても前おきの説明が必要です。それは第五篇がこれまでの第一篇〜第四篇と異なる特殊な性格をもっているからです。

スミス自身の「序論と本書の構成」にあるように、前四篇は「人民の収入」をとりあつかい、その源泉、その増大、その分配関係を明らかにし、また、いかなる経済政策と経済体制の下でそれが確保されうるのかが問題となりますが、第五篇では、「国家の収入」が対象とされ、右の経済体制の政治経済学的仕組みが考察されます。

本書はこのスミスみずからの篇別精神に沿ってのべるのですが、従来はしばしば、㈠スミスでは政府支出が生産資本を食いつぶすものとみなされて、そのゼロを理念とする経済学が成立したとか、㈡政府の三つの役割が最小限の役割であるとすれば、それは国家の必要悪を唱えたものである、などといわれ、第五篇は無視されるか、あるまじき例外または付録のように片づけられてきたのです。このように、政府とその費用を「なくもがな」とスミスがみているということは、象の耳がウチワに似ている程度にかれの所説に似ているでしょうが、しょせん耳はウチワではありません。かれが政府を「必要悪」だとしたり、ゼロの政府支出や財政規模を主張したことのないことは、以下にのべるとおりです。

もとより誤解が生まれたことには一定の理由があります。その第一は、スミス思想が継承され普及した一八世紀末から一九世紀前半にかけての自由貿易運動と議会改革および経済改革の運動が熱烈であればあるほど、自律的な市場機構を求める関税撤廃や軽減の税制改革と公共支出の大幅な削減や公債批判とをむすびつけ、スミスのような産業資本の立場からの改革と急進主義者たちの改革とを区別しない風潮を生んだことです。第二は、ある思想体系が後継者たちによって鼓吹され唱道される際に、それが実践的であればなおさらですが、原思想のある側面が強調され、他の側面が視野からずりおちて、バランスのとれた全面理解から遠ざかるという一例がここにもみられるということなのです。

▼第五篇の構造

第五篇が国家の経費、収入、公債の三つの章からなり、それが支出、収入、公債の財政学的構成の三部形式を打ちたてたことは、スチュアートの『政治経済学原理』(一七六七年)がその財政篇たる第五篇を租税論としてのみ処理していることに照らしても、その意義の大きさがわかるでしょうし、また、公債論が信用論の一環として第四篇で説かれたあと租税論にすすむスチュアートの編別が公債(借入)の担保としての租税の発生という歴史的順序にしたがうのに対比して、租税論を叙述の出発点とするところにも、古典経済学とその財政版たる租税国家論の礎石をすえたスミスの面目がみられるのです。基礎過程をめぐるさまざまの理論構成——価値と価格、三階級構成、生産的および不生産的労働、農工商（国内商業と外国貿易）の産業構造など——とならんで、ここにも体系家としてのスミスの手腕が光っているのです。

第五篇をみる上でさらに三つのことが注意されます。ひとつは第四篇から第五篇に筆をすすめるときには政府の三つの役割を論ずるとしながら、中身は財政論として展開される点です。つまり「役割」はその費目として——国防は国防費として——とりあつかわれるのですが、ここに『国富論』のポリティカル・エコノミーたるゆえんがあり、かれの「法と統治の理論」自体は未完におわった法学に予定されていました。不十分ながらその内容は受講者によるノート『法学講義』から推測せざるをえないのが今日の状況です。

第二は、収入論と銘うつ第五篇の第一章が支出論であることの異和感です。それはまず支出論が固有の意義をもちえない古典派の特徴だといえますが、他方、第一章の支出論が同時に収入論でもありうるように配慮されていることにも注目すべきでしょう。それは第一章本文の各所で支出の財源について言及することのほか、とくに第一章の「結論」が経費のための醵出方法に集約されることにあらわれています。

三つめは第五篇の篇別構成とは別に、その実質内容のゆたかさが注目されることです。かれは軍事費をのべつつ軍事そのものを、おなじく教育費や宗教費のテーマのなかで教育そのもの、宗教それ自体を論じてやまないだけでなく、それを古今東西の歴史の照明にあてるのですから、脱線の多い『国富論』のなかでも第五篇は脱線の充満した篇であるといえるでしょうが、しかしそれがいかにもスミス風に、脱線にみえてかならずしも脱線ではなく、自然的自由の体制下の政府のあり方、教育と学問と文化のあり方、そして何よりも歴史的手法を駆使して人間のあり方をおのずと示したものであり、『国富論』のコーダとしてそれにふさわしい内容をもっています。その味わいは『国富論』に直接とりくんでたしかめることが必要でしょう。

▼政府の三つの役割

国防、司法、公共事業と公共施設の三つが自然的自由の体制下における政府の固有の役割ですが、それは「必要悪」ではありません。かれはこのことばを使用していないだけでなく、根本において、その思想とは異なった主張を展開しているのです。「必要悪」の思想は社会の発展とともに政府の役割はできるだけ縮小すべきだし、事実、それが真実の発展ならば、縮小してゆく、それは無限に政府の役割をゼロとする方向にある、というのですが、スミスでは、ここに厳格に示された三つの役割は文明の進展につれてむしろ増大するし、強化されもするのですから、それは「必然」であり「必要」であれこそすれ、「悪」ではありません。たしかに、個人の勤労と営業を操作する複雑怪奇で効果のない義務から政府を解放したという意味で政府の役割を整理したことは、スミスの著名な提言なのですが、同時にこうして残された三つの役割への強固な姿勢もまた忘れられてはなりません。

桶に酒をためるためには、そのまわりを竹や金属で作られた箍《たが》がしっかり支えなくてはなりません。酒の量がゆたかになればなるほど、桶の木枠と箍は大きくがっちりしたものであることを要求します。酒、すなわち民間の経済が発展し巨大になればなるほど、桶、すなわち政府の役割はがっちりしたものになる必要があるのです。しかも例えば箍のひとつである常備軍は、スミスによると政府の担当する分業なのですから、ここには酒と箍との媒介的な相互分業がみられるのであり、これをもっと押しひろげてかんがえれば、『国富論』の全体系が民間（前四篇）の市場経済と政府部門（第五篇）との国民的総分業の体系であって、政府の三つの役割はこの後者の分業を代表するものです。

なおスミスは、三つの役割を経費論として叙述する際に、第四の経費として「主権者の尊厳を維持するための経費」を挙げ、一ページにもみたぬ分量をあてて説明しています。それはみずからの尊厳を維持することから、主権者や政府の義務ないしは役割にはかぞえられていませんし、政府の費用としては少額であることも事実ですが、この箇所はスミスがその立憲君主的な思想を吐露したところです。第五篇の標題や各章の見出し、あるいは本篇の随所で「主権者または国家」ということばが常套語のように使用されていることも注意されるところです。

1　国家経費はどんなことに支出されねばならないか

a　国防費について

▼軍備と軍事費の歴史

政府の第一の役割は、その社会を他の独立社会の暴力と侵略から守ることです。そしてそれは軍事力によってのみ果たすことができるのです。しかし、平時に軍事力をたくわえ、戦時にこれを用いるための経費は、社会の状態がちがい、また、その進歩の段階が異なるにつれて大いにちがう、とスミスはいいます。

狩猟民族の社会では各人は猟師であると同時に戦士であり、かれらがいくさにでるときもみずからの労働で自己の生活を支えるし、土地の私有も資本の蓄積もないこの最低の社会状態では、主権者とか国家とかいうべきものがないのだから、どんな経費も負担しないのです。一歩すすんだ遊放民族の間でも事態は同様であって、放浪の生活そのものから容易に戦場におもむくのですが、タタールの族長とか主権者はどんな経費も負担せず、戦士は敵側への略奪のチャンスに唯一の手当を期待するのみなのです。

さらにもう一段進歩した社会状態の農耕民族の間でも、農業に従事するふだんの生活で辛苦に慣れているから、戦争の労役に向いていて、ここでも農民は同時に兵士たりうるのです。かれらは兵士としての事実上の訓練を遊放民ほど身につけてはいないけれども、主権者または国家がなんらかの経費を負担することはまずありえません。

ところが、もっと進歩した社会状態（分業社会）では、二つの原因が作用して固有の軍備と軍事費の国家負担が必要にもなり、また必然化するのです。二つの原因とは製造業の発達と戦争技術の進歩とであります。

農耕民の場合なら、播種期のあとから収穫前におわる遠征であれば、かれの収入は激減するとはいえないけれども、鍛冶屋や織布工の分業者は、仕事場を離れた瞬間、収入がなくなるというように、製造業の発達した国では、軍務につく人たちを国家が扶養しなくてはなりません。戦争の技術もまた文明の進歩とともに複雑な科学へと高度化し専門化して、他の技術の場合と同様に分業化を要求します。それは「あらゆる技術のなかでももっとも高級なもの」とか、「機械技術の状態は、戦争技術と必然的に関連する他のいくつかの技術とならんで、ある特定の時代に戦争技術が到達できる最高水準を決定する」とまでスミスはいいきり、「戦争技術をこの最高水準に到達させるには、それが市民の特定階級の唯一または主要な仕事になることが必要である」とかれはいうのです。

▼国家の英知と分業としての国防

政府が手をこまねいて、私人としての市民がひとりでに右の分業を選択することはありえません。天下泰平の時節に自分の利益に役に立たぬ軍事教練に励むことはないでしょう。人がかれの時間の大半をこの特殊な仕事につぎ込むことが利益になるように仕向けることのできるのは、国家の英知だけなのです。軍人という職業を他のいっさいの職業から独立した別個の特殊な職業となしうるのはただ国家の英知だけである、とスミスは二度もくりかえしていいます。

文明社会における分業としての軍事と国防は、『国富論』の前四篇を支配していたはずの利己心と交換性向にもとづく分業と蓄積の体制、だれかの英知の所産ではなく人間本性のなかの一定の傾向の帰結たる分業社会とは、きわだった対照をなすこと、しかもなお、文明社会においては、それが高度に発展すればするほど、この対立しあうかのような分業の二大体系が相互に依存することが論定されます。

つまり、前者の私的分業の発展は、その必然のなりゆきとして国家をうみます。それは三つの役割のみを履行する政府としての政府なのです。だから、発生史的には国家はあきらかに私的分業の産物ですが、それがひとたび国家として成立すれば、国家の英知にもとづく公的分業者として前者と区別され、私的分業への箍としての分業を担うわけですから、文明社会の総体はじつは政治と経済の分業の体系だったのです。スミスの分業論をたんに基礎過程の私的分業（技術的・社会的分業）に限定してはなりません。大切なことは、私的分業が開花すればするほど公的分業も花を咲かせるとする点です。軍事的社会ともいうべき狩猟・牧畜・農耕の社会には軍事的分業はなく、製造業と機械技術の発達した文明社会にこそ後者の分業が樹立されうるし、樹立されなくてはならないとスミスはいうのです。

また国家の英知という強いことばは、軍備としての分業の強調の場合にしか用いられていませんが、それが私人の慎慮と利己心にまかせたままでは実現できないものとされるかぎり、政府の第二、第三の役割もまた事情は同一です。

▼常備軍制と民兵制

政府が社会の防衛のために軍備をととのえるには二つの方法しかありません。

第一は、民兵制といわれるもので、人民の商売や職業に関係なく軍事教練の実習を強制して、兵役適齢の市民全部あるいはその一定数を軍人の職業を兼ねるように義務づけることですが、第二は、一定数の市民を雇傭して常時軍事教練を実習させ、軍人という職業を独立した別個の職業とすることであり、常備軍制といってよいでしょう。前者では軍事教練は臨時の仕事であり、生計資金は各自、本来の職業から稼得したものです。しかし後者では、軍事教練はかれらの職業そのものであり、本務なのですから、かれらの生計は国家よりの給与に依存します。軍事費は人件費を中心に常備軍制において明確になるのです。

この二種類の軍事力を比較しましょう。民兵制では労働者や職人あるいは商人の性格が軍人の性格にまさり、常備軍制では軍人の性格が他の性格に優先します。とくに火器の発明とそれに応じた軍規の変化は、大部隊での訓練による即戦即決の習熟をうながし、常備軍制は十分にこれをわがものとしうるけれども、民兵制ではまったく無理なことです。一時的な訓練で近代戦に不可欠の厳格な軍律を身につけることはできません。歴史もまた常備軍の優越を教えていて、ギリシャ共和国やペルシャ帝国の没落がどんな種類の民兵よりも常備軍が圧倒的に優勢であることの結果ですし、カルタゴの没落やローマの興隆も同様の理由から説明することができるのです。

軍事力において卓越した常備軍制こそは、隣国からその富を狙われやすい勤勉で富裕な文明国民の、そして一般市民の大多数が軍事教練をうける機会のない非好戦的な文明国民の採用するべき、また採用しうる軍事手段です。どんな国の文明も常備軍制によらないでこれを永続させることはできないのです。

▼常備軍と自由の体制

国防力としての常備軍の優越が立証されると、心配になるのはこれが自由にとって危険ではないか、ということでしょう。たしかに司令官や高級将校たちの利害がその国の基本構造を支持しえないようなところでは、そうした危険があります。シーザーの常備軍はローマ共和国を倒し、クロムウェルのそれは長期議会の議員を議場から追い払ったのです。しかし、主権者みずからが司令官でその国の主要な貴族や郷士が幹部将校であるところでは、いいかえると、軍事力が民政権を維持することに最大の利害をもつ人びとの下におかれていれば、常備軍は自由にとって危険なものではありません。

むしろ、逆に常備軍は自由にとって有利なことがあるのです。強大な常備軍のおかげで主権者が安全であれば、各市民のつまらない行動まで監視し市民の平和を乱そうと身構えているようにさえおもわれる疑心暗鬼が無用になります。生えぬきの貴族層によってだけでなく、軍律のある常備軍によって支持されていると自覚する主権者なら、乱暴で根拠のない放らつな抗議に接しても、ほとんどびくともしないでしょう。反対に、元首の安全が民衆の不平不満ですぐに危険にさらされるような、あるいは、小さな騒動が数時間のうちに大革命をひきおこすようなところでは、政府は政府に反対してぶつぶつ不平をならすことを押さえつけ処罰しようとして全権力をさしむけるのです。規律正しい常備軍をもっていると、政府は不平不満を大目にみて、余裕をもって対処できるというわけです。

放らつに近い自由がゆるされるのは、軍律正しい常備軍によって安全を保障される国々だけであり、こうした放らつの自由に対して、社会の安全のためと称してそれを押さえる裁量権を主権者にゆだねることを必要としないのもそういう国々だけなのです。

▼国防費の膨張

右のようにその社会を他の独立社会の暴力から防衛する政府の第一の役割は、その社会の文明化とともに強力になるのですから、その費用もまた高価になります。もとは、平時戦時にかかわらず、主権者には費用がかからなかった軍事力は、社会の進歩につれて、当初は戦時に、のちには平時にも主権者によって維持されてきます。

火器の発明による戦争技術の高度化は、平時での一定数の兵士の訓練費、戦時でのかれらをたたかわせる費用のいずれをも高価とするし、兵器、弾薬双方の支出の増大はいうまでもないでしょう。また優秀な近代砲の攻撃から都市を防衛するには莫大な費用がかかります。

近代の戦争では火器に要する費用が大きいので、この支出をまかなえる富裕な文明国民が貧乏な野蛮国民より優位にたちます。古代では富裕な文明国民が貧しい野蛮国民に対してみずからを防衛することに困難を感じていたのですが、近代では、貧乏な野蛮国民の方が富裕な文明国民に対してみずからの防衛のむずかしさを知っているのです。

ともかくも、財政規模の一翼である国防費は、人件費、物件費ともに社会の文明化につれて増大し膨張しても、縮小することはないというのがスミスの主眼です。

▼国防費論の若干の問題

スミス国防費論は多数の問題点をふくんでいますが、ここでは二つのことを提起しておきます。

第一は、民兵制をめぐってのスミスの位置づけです。一八世紀スコットランドは民兵論の火の手の上がったところです。この地での二度にわたるジャコバイトの乱（名誉革命で王位を追われたスチュアート朝をスコットランド氏族軍の武力で復位させようとしたもの）は、民兵制の旧体制的非力とロマンの双方を示したものですが、ジャコバイト敗退後もハイランドを根城とする民兵主義がつづきますし、とくに一七六〇年代のスコットランド国民軍創設への嵐は、六二年、民兵制施行を目的とするポーカー・クラブを結成させ、その会員にヒュームやスミス、スチュアートやケイムズを迎えるのです。ハイランド人ファーガスンは、この会の指導者でした。そんなスコットランドのなかで、当のスミスが民兵制を文明社会にふさわしからぬものとして批判したことは、ロマンを拒否したかれの低地スコットランド人としての開明性や、スコットランド問題を反語的につき離してみせるスミスのいつもながらの筆鋒《ひっぽう》をみる思いがします。

と同時に、メダルの裏側にはつぎの問題がよこたわっていました。民兵論争は、一八世紀後半の大ブリテン全体の政治問題のなかでは、民兵制を主張して止まぬ急進主義者と常備軍を擁護しつづけた政府側との対立でした。前者によれば、常備軍は対外的には他国を侵略し、対内的には自国民の権利と自由を奪う圧政の象徴であり、国家経費を膨張させて人民への租税負担を加重する主原因なのですが、民兵は平和的で自由を保障するというわけです。どちらの側にスミスがいたかは明瞭でしょうが、ここでもかれはロマンを拒否したのです。

第二は財政規模論ですが、スミスの主張はただ国家経費が少なければよい、可能ならばゼロでよいとするような絶対的な「安価な政府」ではないことは、右の国防費論を例にとってもあきらかです。むしろ財政規模の絶対額はのちにのべる費目をふくめて、社会の文明化とともに膨張するけれども——絶対的には「高価な政府」ともいえます——、経済の発展が財政規模の増加率をはるかにこえるので相対的な「安価な政府」が成立するというものです。莫大な軍事費と戦費を富裕な文明国民が負担しても富裕でありうるのは、この原理によるほかありません。そしてここでもまた財政規模の絶対的な縮小を希求した急進主義者たちとたもとを分かつのです。スミスが「必要悪」のことばとおなじく「安価な政府」の用語を使用したことのないことも注目してよいでしょう。

第五篇を読めば読むほど、自然的自由の体制のしたたかな実態を知らされるのですが、なかでも国防費論はそうであったか、と息をのむ思いがします。

b 司法費について

▼私有財産と国家の起源

政府の第二の役割は、その社会の成員を他の成員の不正や抑圧から保護すること、あるいは厳正な司法行政を確立することです。第一の役割が対外的不正からの守護であるならば、これは対内的不正からの安全保障といえますが、これに関連して注意をしておきたいのは、司法費を論じた文節ではスミスがしばしば政府にあたることばをシヴィル・ガヴァメントとよんで、シヴィルの形容詞をつけていることです。統《ガヴァメント》治部門をわけて、ミリタリ・ガヴァメント、シヴィル・ガヴァメント、イクリージアスティカル・ガヴァメント（宗教部門）などとした当時の慣例に沿って、シヴィルに物質生活の保全もしくは財産保全をめぐる世俗的統治部門の意味を含意させ、そこから内政の起源と役割を、かれはみさだめようとしているのです。

この司法行政もまた軍備とおなじく社会発展の程度に応じて異なり、経費もまた大いにちがっています。

狩猟民族の間では財産といえるものはなく、裁判についての正規の運営はありません。なんの財産もない人びとの相互の侵害は身体か名声にだけなされるもので、それは侵犯者にほとんど利益をもたらさず、侵害は深刻なものとはならないからですが、財産への侵害となれば話は別で、侵害者の利益と被害者の損失は同一ですし、富者の貪欲と野心、貧者の労働嫌悪とは他人の財産への侵害をそそのかす情念となるでしょう。だから、財産の形成された社会においてシヴィル・ガヴァメントが成立し司法行政が生まれるのです。

大財産のあるところには大不平等があり、ひとりの大金持がいれば五〇〇人の貧乏人がいます。富者のゆたかさは貧者の怒りをまきおこして富者の所有物への侵害をうながすのです。このとき何代にもわたる労働で獲得した高価な財産の所有者がただ一夜でも安眠でき、不正からかれを保護できるのは、不正をこらしめるべく振りあげられた司法権力の腕のみです。高価で厖大な私有財産の発生によって、シヴィル・ガヴァメントは樹立され、その財産を守護する役割を担うわけです。

▼権威と服従の自然的原因

シヴィル・ガヴァメントは人民の側からのある程度の服従がないと成立しませんが、高価な財産ができるにつれて、服従の原因も大きくなります。

その自然的原因は全部で四つです。第一は個人的資質、例えば肉体の強さ、精神の知と徳とかいったものですが、これは目ではっきりとみることはできない性質ですから、服従の原因としては頼りになりません。第二は年齢です。これは争う余地のない明確な原因ですが、富裕な文明国民のあいだでは、他のすべてがひとしいかぎり、これが尊重されています。第三は財産ですが、スミスはこれをもっとも強大なものとして評価するのです。財産の権威は財産の不平等の時代に最大の威力を発揮するのですから、いやしくも財産が形成されて以来、人間はこれを基準とする服従を身につけたことになるでしょう。第四に、生まれのよさがあります。しかし、生まれ、素性、家柄とかは結局は古くからの資産家ということです。生まれによる服従は財産の不平等のあとのことですから、狩猟民族にはありません。スミスは、まったく知と徳のみを代々継承して著名になった名望家は世界のどこにもない、といいます。

こうして生まれと財産が人の上に人をおく二つの事情であり、人びとのあいだに権威と服従とをうちたてる主要な二大源泉であります。そして財産の不平等が権威と服従をもちこみ、不平等それ自体を維持するのに必要なある程度のシヴィル・ガヴァメントを導入します。このとき財産の不平等がみずからを維持するための必要性の顧慮からシヴィル・ガヴァメントをつくりあげるのではありません。必要性の考慮はのちになれば権威と服従の確保に役に立つのです。つまりシヴィル・ガヴァメントの発生は自然史的なのですが、それが財産の安全のために樹立されるかぎりでは、貧者に対して富者を防衛するために、あるいはいくらかの財産をもつ人びとをまったくの一文なしに対して防衛するために設けられているのです。また、行文からあきらかなように、権威と服従の自然的原因としての生まれと財産の二大源泉は、結局のところ後者に還元されてしまうということです。

▼司法費支出の方法

そういう主権者の司法権は、長い間、支出の原因ではなく、収入の源泉でした。裁判を申し出た者が贈物を主権者にさしだしたり、有罪判決をうけた者が相手方への賠償のほかに、主権者に強制的な罰金を課せられたのです。国王に迷惑をかけ、平安を乱したのですから、罪は罰金に値するというわけです。こういうばあい、裁判の実施は主権者にとっては相当の収入源でありましたが、もしも、裁判を収入目的に従属させてしまうと、贈物によって正義が左右され、罪のないものを有罪にするための理由がおもいつかれたりして、弊害をともなったのです。

この弊害は、主に国防費の増大から主権者の土地収入や裁判手数料のみでは財源不足となり、各種の租税を徴収するにつれて、減少します。納税者たちが税金を支払う条件として、裁判官は贈物をうけとるべきでないと要求したからです。定額の給料が裁判官にあてがわれ、古い役得はそれで償うものとされたのです。裁判は無料でなされる、というわけですが、実際には、弁護士への費用をふくめて無料の裁判はなく、判事の給与は国王が負担しても訴訟の必要経費は減ることはありません。贈物への批判は費用減らしというよりも裁判の腐敗を防ぐためでした。

司法費は文明国のばあい、統治経費全体のうちの小部分にすぎないので、裁判の全費用を法廷手数料でまかなうことも容易ですし、腐敗の危険を少なくするためには、法廷手数料についての規制をして収支を所定の会計官で処理し、裁判官には結審後に配分すればよいでしょう。公務は、仕事を一生懸命したかどうかに比例して報酬をきめれば、もっともよく遂行されるものであります。フランスの高等法院では、判事たちの王からの給与はじつに少額で、その圧倒的部分は法廷手数料ですが、手数料の配分は裁判官の精励に応じているのです。イングランドの裁判所でも、判事たちが自己の法廷での迅速な裁判によって不正に対抗して救済をあたえるべく努めたのは、手数料をめぐる判事たちの競争の結果なのです。

▼司法権の分離と独立

司法権が行政権から分離したのは、社会の発展とともに裁判業務が複雑になり、かけもちができなくなったからです。ここでもまたスミスは分業の自然史的な発展から二つの権限の分離を説くわけですが、その上で、かれは司法権の独立をつぎのように擁護します。――司法権が行政権と一体化されるとき、裁判はしばしば俗にいう政治の犠牲になるのです。国家の利害を託された人は不純な動機がなくても私人の権利を国家の利害の犠牲に供しがちでありますが、個人の自由は裁判の公平無私な運営に依存します。各人に自分の権利が安全に保持されていることを感得させるには、司法権を行政権から分離させておくだけでなく、できるだけ行政権から独立させることが必要でしょう。裁判官は行政権の気まぐれで解雇されたりしてはならないし、判事たちの給与が行政当局の好意に依存してはなりません。

c　公共事業と公共施設の経費について

▼公共事業と公共施設

政府の第三の役割は、公共事業と公共施設を起して維持することです。それらは巨大な社会には最高度に有益であるにもかかわらず、個人や少数の個人には収益で費用を償うことはできないために、個人または少数の個人がその事業を起して維持することを期待できない性質のものです。それは今日のことばを用いれば、個別資本には損失となるが、社会的総資本には必要な事業であり、個々の企業は手をつけることを拒むけれども、国民経済の利害から社会資本の名で運用されているものに該当します。

スミスはここでもまた、この役割の経費は社会発展の段階が異なると、非常にちがった程度のものになるといい、つづけて、社会の防衛や司法の運営のための公共施設と公共事業についてはいずれもすでにのべたので、それらにつぐこの種の事業および施設として、社会の商業を助成するためのものと、人民の教育を振興するためのものとをとりあげる、といっています。このことは、第五篇の経費論全体を理解するうえで、重要な発言とみられます。すなわち、第一と第二の政府の役割が第三の役割との共通性でとらえられたことは、前二者の役割もまた巨大な社会には最高度に有益であるが、個人や少数の個人には費用を償うことはできないもの、という点で共通であることの、思わざる吐露なのです。それは軍事費や司法費がたんに社会の軍事的または政治的枠づけとしてのみ支出されるのではなく、個人や少数の個人には損失をもたらすのだが、国民経済の蓄積と再生産には有益であるために支出される。その意図が言外に示されたものでしょう。ここで改めて第五篇の政治経済学的仕組みの意味を考えたいものです。

さて、そういったあとで、教育のための施設は青少年のためと、すべての年齢層のためとの二種類があるから、第三の役割の経費とその調達方法は大きく三つに分けられるとスミスはいいます。

▼社会の商業を助成する公共事業と公共施設について

この項目は『国富論』の初版と第二版ではこれだけで、道路、橋、運河、港湾などの開設と維持がのべられていたのですが、第三版以降に商業の特定部門を助成する事業の叙述が後半に追加されたために、初版と第二版になかった表題として「商業一般の助成に必要な公共事業と公共施設」がつけられ、この項は事実上、二つに分かれました。しかし、それにもかかわらず、追加されたものの表題には番号もつけず、付録風に処理したことは、追加という技術上の制約もさることながら、この部門に対するスミスの態度をあらわしています。

第三版以降、商業一般助成のための公共事業の表題の部分は道路、橋、運河などの維持を論じた箇所です。これらの経費が社会発展の時期のちがいによって大いに異なることは自明でしょう。そしてむろん一国の土地と労働の年々の生産物が増加すればするほど、公道や橋や運河は長く強大なものを必要とすることは明らかなことですが、こうした公共事業の大部分は、社会の一般収入（租税）に負担をかけずに、自分自身で収入をあげることができます。公道、橋、運河などは通行税、港湾ならば入港税があり、さらに商業を助成する貨幣鋳造は、多くの国で自己の経費をまかなうだけではなく、造幣手数料を主権者に納付するのです。もうひとつの同様の目的をもつ郵便事業はそれ自体の経費をまかなったうえで、どこの国でも主権者に多額の収入をもたらします。

当時作られた運河

公共事業を維持するには、通行税ほどの公正な方法もないでしょう。最終負担者である消費者はそれがない場合よりもかえって安い商品を購入できるので、税を払って損をする以上に、税を払って得をするわけです。しかもその税の支払いはかれの利得の一部にすぎないのですから、利得の残りをうるために、その一部をあきらめるということにすぎません。

通行税は、さらに生活に必要な車に比較して、ぜいたくな車や四輪馬車のような怠惰と虚栄の車に、いくらかの重い税金をかければ、前者の運送費が安くなり、無理のない方法で貧者の救済に役だちもするのです。しかもなお、通行税を財源とすれば、公道、橋、運河などが商業に必要な場所に、必要な大きさでのみ建設されるから、そこに州知事の田舎の別荘があるとか、大貴族の別荘に通ずるとかの理由で商業に無益な公道をつくることや、御殿からの眺望のためにだれも渡らない場所に大きな橋をかけるという無駄が省かれもします。

通行税を国の一般財源に回せという提案は、三つの理由で賛成できません。たしかに通行税から余分の収入をとれば財源は容易にふえるのですが、そういう値上げは国内商業への巨大な重荷になって、ついには市場をせばめるし、生産を阻害するのが第一の理由です。第二は税の不公平ということです。道路によって利益をえたものがその補修という単一の目的に税を支払うべきなのであり、それ以上の支払いはしばしば貧者への負担になりましょう。第三は目的税を一般税のように運用すると、はじめの目的がぼやかされて、いざ公道の修理というときに、この目的に振りむけえないことになりかねません。

地方の公共事業の利益がその地方にほぼ限定されるのならば、その財源はその地方の収入によるべきです。そうすれば立派な街路が安い経費で仕上がることになります。

▼商業の特定部門を助成する公共事業と公共施設

商業の特定部門を助成するには特別の施設が必要ですから、特別の追加的経費が計上されます。東インド会社の安全のためにインドに砦を築くとか、トルコ会社のためにコンスタンチノープルに大使をおくとかはその例ですが、こうした特定部門に必要な特別の経費は当の特定部門にかける穏当な税でまかなうべきだとしても不合理ではないでしょう。

ところが、主権者のこうした権限が重商主義の下での独占企業にゆだねられ、公私が混同されて行政権力固有の仕事も貿易自体もともに阻害されたとして、スミスは長文の社史を展開します。この部分は一七八四年の危機的状況下の時論としても、経営史的叙述の卓越さにおいても、スミスの鋭利さを示すものです。

▼青少年教育施設の経費

青少年教育のための施設も、同じく自己の経費をまかなう収入をもつことができます。授業料や謝礼金がその収入にほかなりません。寄付財産や国家の一般収入で教育施設を維持すると、教師は怠惰になり、学校の管理運営は、寄進者や国の監督者の方に顔をむけて学生には背をみせることになるのです。

どんな職業でも人は努力せざるをえない状態に比例して努力しますから競争が自由に行なわれ、競争者たち同士の対抗関係が人を努力と精励に導きます。ところが寄付財産は職業での成功や評判とはまったく無関係にあたえられたものです。しかし、もしも教師の報酬の大部分が授業料に依存すれば、教師の職業上の評判こそがかれの収入の大小を決定するに至り、教師は精力的に職務に励むとスミスはいいます。

こうした自由競争の全面的適用の例外として、政府みずからが配慮する必要のあるのは、庶民への基礎的な教育、すなわち読み書きと計算であって、国はわずかの経費で国民の多数にこれらの修得を奨励し援助し義務づけなくてはなりません。そのうえ、そうした国の実施すべき教育が分業の発展によって欠如することとなる武勇の精神や全人的人間性をとり戻すだけでなく、国民の知的水準を高くし、政治の安定にもよい効果があります。

教育は普通教育も高等教育もあわせて国民の精神的能力を向上させるだけでなく、前者はとくに分業による精神の畸型を匡正して国民的総分業の一端を担い、ひいては秩序を尊重する国民をつくりあげるというのです。ここでもまた教育費論を介しての政治経済学の仕組みが覗いています。

▼すべての年齢の人びとを教化するための施設の経費

すべての年齢層の人びとを教化するための施設というのは、主として宗教上の教化のためのものです。この教化は人びとを現世でよき市民とすること（これは対比していえば前項でのべられています）よりも、来世というもうひとつのよりよい世界への準備を目的とするものです。今日ならば各種の社会教育施設が含まれるでしょうが、スミスは宗教施設に限定しますから、本項の議論は教会論、宗教論に集中することになります。

宗教上の教師や僧侶は、国教でもなく寄付財産にもよらないばあいが、職務に熱心であり信仰もまた本物です。聴講者や信徒の自発的な寄進に依存することがかれらの勤勉をうながします。しかも、宗教がひとたび国教となれば、特定の荘園からの収入のほかは政府の一般収入から支弁されるわけで、例えば十分の一税は主権者への収入をその分だけ減らして国家の防衛力を弱体化するでしょう。しかし、スコットランド教会はおよそ国教がうみだす聖俗双方のすべての効果を完全にうみだしていますが、それはひどく貧しい寄付財産のなかで信仰の統一性、帰依の熱心、秩序の精神を保持しているからです。

何事もある職務が立派に遂行されるには、それに対する給料や報酬が正確に職務の性質に釣りあう必要があります。精勤した仕事に低い給料があてがわれ、無能な職務に高い報酬が支払われると、従事するものは怠惰になります。僧職への報酬も同じことで、その仕事量に応じない過大収入はやがて僧侶にふさわしい人格の尊厳を台なしにするでしょう。

d　主権者の尊厳を維持するための経費について

主権者が三つの義務を果たすための経費のほか、主権者みずからの尊厳を維持する経費が必要です。この経費もまた社会の進歩の段階や統治の形態の変化につれてちがっています。富裕のすすんだ社会では国民のすべてが家や家具、服装や馬車に金を投じますから、主権者だけが流行にさからうことは期待できないし、何より主権者には尊厳を保持する必要があるのです。尊厳という点では、君主と臣民の格差は、どの共和国の元首と同胞市民の格差よりも大きいのだから、このいっそう高い尊厳を維持するにはより多大の経費が必要となります。

e　国家経費についての結論

国防費と元首の尊厳を維持するための経費は、いずれも社会全体の一般的利益のために支出され、したがってそれらは社会の成員のすべてが各自の能力にできるだけ比例して、社会全体の一般的な貢納としてまかなわれるのが合理的でしょう。

司法費も、疑いもなく社会全体の利益のために支出されるので、社会全体の一般的な貢納によって支弁することは不適当ではありません。しかし裁判費を使用させる原因をつくった人びと、あるいは裁判から直接に利益を享受する人びとは、必要に応じて個別的な貢納、つまり法廷手数料を醵出してその費用をまかなうべきであり、みだりに社会全体の一般的な貢納にたよるべきではありません。

同じように利益が一地方や一州にかぎられる地方的な経費は、その地方や州の収入でまかなうべきであり、社会の一般収入に依存してはならないのです。

また、よい道路の維持は疑いもなく社会全体の利益にもなり、社会全体の一般的な貢納によってまかなうとしても不当とはいえませんが、この経費の利益をうけるのは旅行者や運送人ですし、その財貨の消費者ですから、かれらから通行税を徴収して社会の一般収入に負担をかけないように配慮すべきでしょう。

教育施設と宗教上の施設の経費も同様に社会全体の利益になり、したがって社会全体の一般的貢納によってまかなうのも不当ではありません。しかし、この経費を教育や教化から直接の利益をうける人びとの自発的な貢納によってまかなうことも適当であり、いくらかの利益さえともなうでしょう。

社会全体の利益となる施設や公共事業が直接に利益をうける特定の成員の貢納だけで維持できない不足分は、社会全体の一般的貢納でまかなわれなくてはなりませんが、この部分と国防費および元首の尊厳を維持する経費とは社会の一般収入にまつほかはありません。それがつぎの課題です。

2 国家収入はどのように調達されねばならないか

a 国家収入について

▼国家収入の構成

国家収入は政府の受けとるすべての収入を意味しないわけではありませんが、ここでの国家収入はスミスのいう「社会の一般収入あるいは公共収入」のことであり、通行税や授業料のような手数料はいっさいふくまれません。それは社会全体の一般利益のために支出される経費をまかなう収入であり、個別の受益者を確認してかれから手数料をとる、といった収入ではありません。だから、スミスはすでに社会の成員のすべてが各自の能力にできるだけ比例して貢納するともいったのです。そうした「一般収入あるいは公共収入」として、スミスは二つの種類、第一に主権者または国家の独自に所有する財源からの、第二に人民の収入からの「一般収入」を挙げ、前者を不適当であるとしつつ、後者をくわしく論じました。

▼ **主権者または国家の所有する財源**

この財源は資本か土地かのいずれかですが、まず主権者が資本を運用して利潤や利子をえたとしても、それらは「一般収入」としてじつに不適当なものです。利潤や利子は不安定な収入ですし、商人の性格と主権者の性格とはこれ以上に両立しない性格はないほどですから、いっそう危険です。

土地の場合は、安定性はあるのですが、文明国の多大の経費をまかなうには不十分な収入といえましょう。むしろ王領地が民間に解放されて私有財産となれば、同一の土地でも生産物はいっそう増加し、人民の収入と消費がふえ、その人民の収入や消費への課税による「一般収入」の方がより多収的であるし、理にかなってもいるのです。

文明化した君主国では、王領地収入は人民に負担をかけないようにみえて、そのじつ、この収入ほど負担をかけるものは他にないのです。同額の収入を別の収入ととりかえて、その土地を人民に分ければ、社会の利益になるでしょう。また土地のわけ方は公売がよいはずです。

主権者または国家の所有する財源からの収入が「一般収入あるいは公共収入」として不適当であり不十分であるとすれば、必要経費の大部分は租税によってまかなうほかありません。こうして、スミスは家産国家を否定し、租税国家を前面におしたてたのですが、その論証が人民の権利論からではなく、政治経済学としてなされたことも注目してよいでしょう。

▼租税の徴収と租税四原則

各個人の私的収入は、地代、利潤および賃銀の三つですから、租税も終局的には、これら三種の収入のどれかから、あるいは無差別にそれらのすべてから支払われるわけですが、以下の考察は、㈠地代税、㈡利潤税、㈢賃銀税、そして、㈣私的収入のこれら三源泉すべてに無差別にかける税、について行ないます。その検討によって明らかなように、租税の多くはそれをかけようとする収入から終局的に支払われるのではありません。

租税の具体的な検討に移る前に、租税一般の四原則を説明することが必要です。

第一に、各国の臣民は、その政府の維持のために、各人それぞれの能力にできるだけ比例して、いいかえれば各人が国家の保護のもとで、それぞれの享受する収入にできるだけ比例して貢納すべきです。

第二に、各人の支払う租税は確定的であるべきですし、恣意的であってはなりません。支払いの時期や方法や金額は納税者やその他の人びとにも簡明でなくてはならないのです。

第三に、すべての租税は納税者の支払うのにもっとも好都合の時期や方法で徴収すべきです。

第四に、すべての租税は人民のポケットから徴収するにせよ、収入がポケットに入らぬようにするにせよ、それらの分と国庫に入る分との差ができるだけ小さくなるように工夫されるべきでしょう。

これらは公平、確実、便宜、最小徴税費の四原則として、租税原則学説史上に輝く古典なのですが、とりわけ第一と第四が重要ですし、両者については、いくらかの解説も必要です。前者は次項でのべることにして、第四原則にふれてみます。人民のポケットから徴収する額と国庫にはいる分との差が小さいということは、徴税費ができるだけ小さいことを意味しますが、それは同時に租税によって失なわれた国民経済上のマイナス（「収入がポケットに入らぬようにする」）と国庫に入るプラスとの差を小さくするという点では、国民経済全体での貸借対照表を問題にしているのです。現にスミスは、この第四原則の提起を促す具体例を四つ示し、㈠余分な徴税吏の俸給、㈡租税による勤労意欲への妨げ、㈢密輸・刑罰の悪循環、㈣徴税吏の臨検による迷惑と圧制、といいますが、こうしたものへの批判は、狭い観点からの徴税費削減という次元をこえているために、第四原則は国民経済上の原則とさえいわれるものなのです。政治経済学のスミスらしい原則のひとつです。

▼**租税第一原則**

租税第一原則は、課税の根拠と配分の原則を宣言したスミス租税思想の原点にたつものです。課税の根拠は「国家の保護のもと」の表現に、その配分は「各人それぞれの能力にできるだけ比例して」もしくは「それぞれの享受する収入にできるだけ比例して」の字句に示されています。その際、能力と収入が等置されていることはだれの目にも自明なのですが、問題は根拠と配分との結びつきの理解にあり、人はしばしば「国家の保護」の人民に与える利益が収入で表わされたものと解釈しました。収入の一に対して一〇を享受するものは、前者の一〇倍の保護をうけたというのです。しかし、もしもそうであれば、課税においても通行料と同一の個別的な受益者を見出すということですから、あとはかれらに個別的な貢納を求めればよいことで、何もわざわざ「社会全体の一般的貢納」とか「社会の一般収入あるいは公共収入」とかいう必要はないでしょう。

スミスの意図は「社会全体の一般的貢納」と「社会全体の一般利益」とを対応させ、根拠論としては「一般利益」、配分論としては「一般的貢納」を主張し、後者の課税標準として「収入」を設定したのです。このようにみれば、なぜに「各人それぞれの能力にできるだけ比例して」ということばが経費論の結論につづいてここに再現したのかがうなずけもするでしょうし、「国家の保護のもと」の語句が「一般利益」であることも容易に理解しうるところです。こうして租税論の本論は、この配分論を中心に展開されることになりますが、それはすでにのべたように四つの租税部門に分かれます。三つの所得把握（地代、利潤、賃銀）にもとづく租税四体系の提唱も、先人がよくしえなかったもので、スミスの大きな功績です。

b　地代税と賃貸料にかける税

▼地代税徴収の方法

地代税のかけ方には、各地区を一定の地代として評価し、この評価を以後も不変のまま一定の基準で課税する方法、また現実の地代が変わるたびに税額を変更したり、あるいは土地の耕作の改良があれば高くし、衰退すると安くするという方法もあります。

一定不変の基準に従う地租は当初の決定時は公平でも、時間の推移は耕作の改良や放置をもたらし不公平ですが、他の三原則には完全に合致しています。

地代の変動に応じて、あるいは耕作の改良に応じて上がり、放置されるのにしたがって下がる地代税は公平ですが、十分に確定的ではありません。また徴収上の経費も多くかかりそうです。これらを回避するための工夫として、地主と借地人連名の借地契約の登記や契約条件の明確化と公開など制度上の改善も可能でしょうし、徴収費も固定評価の地租よりは、いくらか高いとしても、この種の税収全体の中では少額であります。また、一定でない地租が土地の改良を妨げるという有力な反対論があるのですが、むしろこの方法が主権者の関心を土地の改良に向けさせるという利点があります。ですから、この税はさまざまの変化を貫いてつねに正当かつ公平であり、これを永久不変の国家の基本法として定めるのに、一定の評価の税よりも、はるかに適切なのです。

土地の生産物にかける税は、じつは地代にかかる税です。納税者は農業者でしょうが、終局の負担者は地主です。この種の税は一見公平にみえるのですが、そのじつまったく不公平な税なのです。というのも、生産物のある一定部分というのは地代と比較したとき、その大部分ということもあれば極小部分ということもあるからです。十分の一税は肥沃な土地の地代にはその五分の一、つまり一ポンドにつき四シリングの税となり、やせた土地の地代の場合、地代の半分、つまり一ポンドにつき一〇シリングの税ということにもなりかねません。

▼家屋の賃貸料にかける税

家屋の賃貸料は建物料と敷地地代の二つの部分に分けることができます。建物料はその家屋を建てるために費された資本の利子あるいは利潤であり、家屋の賃貸料総額のうち、この妥当な利潤に足る分の超過部分はすべて敷地地代になるのです。

この家屋賃貸料への租税（家賃税）は地代税に似ていますが、本質的に違うのは、後者が生産的物件を利用して生産される地代への税であるのに、前者は不生産的物件の利用への税であって、それはひとつの収入源にではなく、すべての収入に無差別にかかる消費税と同一のものですから、巨額の家賃支出への税は奢侈的消費税とおなじであり、富者に重くなるとしても、不合理ではないのです。富者がその収入に比例して、というだけでなく、いくらかそれ以上に公共経費に寄与してもよい、というのはいちじるしく不合理なことではない、とスミスはいいます。かれの能力説がこうした場合に累進制をふくんだことは注目すべきことでしょう。

敷地地代は建物料よりも、また普通の地代よりもいっそう適切な課税対象です。なぜなら、敷地地代に税をかけても、それは全額敷地地代の受取主にかかり、家賃を高くしないし、さらに普通の地代が一部分は地主の注意と適当な管理のおかげであるのに、敷地地代はまったく主権者の善政のおかげでそうした超過収入となるのですから、国の善政で存在しうる財源に特別の税をかけて、そういう統治を支えることほど合理的なことはないからです。スミスにおいて、租税の公平とは、それが国家から受ける利益に応じているかどうかではなく、「能力」や「収入」に応じているかどうかということだったのですが、敷地地代への税のように、両者が一致するような例外的な収入もあるわけです。

▼地代税と賃貸料税の転嫁

租税根拠論からの租税配分論の自立は租税転嫁への視野の広がりをもちます。納税者と終局の負担者が同一の場合もあれば違う場合もしばしばあるのですから、租税原則の適用もまたそういう状況をふまえなくてはなりません。

地代税は転嫁をしないか、あるいは転嫁の少ない税目です。一定基準の課税でも変動する支払地代への課税でも、納税者と負担者は同一で転嫁しないのですが、ただ生産物にかける税は前述のように納税者と負担者を異にし、地代税の作用をもちます。家屋の賃貸料にかける税では、納税者は家主ですが、終局の負担者は地主と居住者（借家人）ですし、別途、敷地地代に課税すれば最良の租税であるわけです。

c　利潤にかける税

▼利潤および利子税とその転嫁

資本から生じる収入としての利潤は二つの部分に分かれ、ひとつは利子の支払いにあてられて資本の所有者のものとなる部分、もうひとつは利子の支払いに必要なものを超える剰余部分です。

利潤のなかで後者は明らかに直接の課税対象にできません。それは資本の使用の際の危険と労苦への穏当な報償にすぎないからですし、あえてこれに課税しようとすれば、農業利潤の場合にはそれは地代に転嫁し、商業利潤や製造業の利潤の場合は利潤率をひきあげて商品価格を騰貴させ、税は最終的に消費者に転嫁するでしょう。

またもしも利潤率を引きあげないのならば、利潤のうち利子にあてられる部分に税の重みがかかります。その利子への税は、土地の地代と同じように直接に課税できる物件にみえますが、じつは二つの理由で、そうではないのです。

第一に、土地の広さと価値はだれが所有していても秘密にしておくことは困難ですし、正確に確かめることができます。しかし資本はつねに秘密であるうえ、その総額は変動をつづけます。そうした額を課税の目的で調査し監視することは我慢のならないものでしょう。

第二に、土地は動かすわけにはいかないのですが、資本は容易にできます。地主は特定国の市民であります。しかし資本の所有者は世界市民なのですから、特定の一国にしがみつく必要はありません。重税がかけられると、資本は他の国に移動し、それまで当の資本が維持してきた産業を停止させるでしょうし、土地を耕したり労働を雇うこともできなくなるでしょう。

一国から資本を追いだすような税は、主権者にも社会にもすべての収入の源泉であるものを枯渇させるのです。

▼特殊業種の利潤税

一般の利潤税ではなく、特定の商業部門や農業部門に特別の税をかけることがあります。イングランドであれば、行商人への税、貸馬車にかける税、エールや蒸溜酒の小売免許について居酒屋の主人が支払う税などです。こうした特定商業部門の利潤税は、納税者は商人ですが、終局の負担者はその商品の消費者なのです。

農業利潤にかける税としては、フランスの動産タイユがあります。徴税区をさらに徴税分区に分け、賦課された金額をふりわけるのですが、各分区の担税力の捕捉は容易ではないし、年毎の手直しや査定も煩雑です。しかも商業部門と異なり、課税されたからといって、資本を引きあげたり、消費者に転嫁させることはできず、地代を減らすほかはないのです。そこで動産タイユのある国では、農業者は資本をかくすために、わざとみすぼらしい農具を使用したりするので、生産物は減少し、社会も農業者も地主もこの退化した農耕によって損失をこうむることになるでしょう。

スミスはこのあと特定の資本利潤への税として北アメリカ南部や西インド諸島の黒人にかける人頭税にふれ、黒人を使用する形での農業に投下された資本の利潤への税は、かれらが農業者であり地主でもあることから、終局の負担は地主としてのかれらにかかるといい、さらに語をついで、つぎのスミス流の名句を吐いています。「あらゆる租税というものは、それを納める人にとっては奴隷のしるしではなくて自由のしるしなのである。たしかに租税はその人が統治に服していることを示しているにちがいないが、またなんらかの財産をもっているのだから、かれ自身が自己以外のある主人の財産であるはずがない、ということも示しているのである」。これは租税と自由の歴史的な関係や租税国家の意義づけをものの見事に表現したものですが、これだけでもスミスが租税のゼロを主張したのではないことがわかると同時に、租税と財産の比率が転倒するほどの重税に反対であることも読みとれましょう。

▼資本課税と生産力阻害

スミスはここで地代税と利潤税の付録として、土地、家屋および資本の「資本価値」にかける税をとりあげ、それがいかに生産力を阻止するかを説明します。

財産が同一の人物に継続して所有されるばあいは、それに対する租税はその財産から生ずる収入の一部であって財産の資本価値の一部も減らしたりするようなものではないのですが、財産の持主が変わるとき、すなわち死者から生者へ、あるいは生者から生者へと財産が移転するとき、その資本価値の一部を減少させる税がしばしばかけられてきました。相続税や登記税やその他いくつかの種類がありますが、こういう財産の移転への税はすべてその資本価値を減少させるかぎりでは、生産的労働を維持する基金を減らす傾向がありますし、生産的労働者しか維持しない人民の資本を犠牲にして不生産的労働者のほかはほとんど維持しない主権者の収入をふやす不経済な税なのです。

しかもこの税は、移転する財産価値に比例しているばあいでも、移転の回数が等しくないから不公平ですが、財産価値に比例しないばあいにはいっそう不公平になるでしょう。ただし、この税は確定的であるし便宜にもかなっているし、徴収費用もわずかです。

d　賃銀にかける税

▼賃銀課税とその転嫁

労働の賃銀は労働に対する需要と食糧品の平均価格とによって決まります。だから、労働の賃銀にかける直接税はその税額よりいくらか高く賃銀を引き上げることになるのです。一週一〇シリングの賃銀が必要であるとして、五分の一の税をかけるとすれば、一週一二シリングの上昇では税引後に一〇シリングを残すことはできず、一二シリング六ペンスの上昇でなくてはならないからです。

そこで賃銀税は、前払いは労働者がするとしても、賃銀の騰貴によって親方製造業者に転嫁し、かれはこれを利潤とともに消費者から回収するはずですから、終局的には消費者の負担になるのです。これが農業労働の賃銀税であれば、農業者の前払いのあと、これを地代から回収するでしょう。前者のばあいは大幅な製造品価格の引上げですし、後者は大幅な地代の引下げとなります。また、もしも賃銀税が賃銀の騰貴をひきおこさないとすれば、それはこの租税が労働需要を減退させたためであり、産業の衰微、仕事の減少、土地と労働の年々の生産物の減少をもたらしたわけです。

▼官職の俸給課税

不合理で有害な賃銀税の中で、官職の俸給への税は別でしょう。そうした俸給は市場の自由競争によって規制されないし、仕事の性質上必要な水準より高い報酬であることがしばしばです。だから課税されても転嫁しません。しかも、羨望の的である官職への税はつねに人気のある税でもあり、賃銀税のないイングランドでもこれだけは課されています。

e　すべての収入に無差別にかける税

▼租税体系上の意義

「すべての収入に無差別にかける税」とは現実に存在する税の名称ではありませんが、スミスは三つの本源的収入への税の検討につづいて、この表題をかかげたのです。それは体系創造へのかれの執念を示すとともに、どんなにかれが三つの収入あるいは所得把握を自負していたか、そしてその把握がいかに政治経済学の概念上の建直しと再構成のうえで重要なものであったか、をみずから語るものです。

『国富論』以前では、実際的もしくは経験的な基準から、租税は所有税や消費税に分けられ、その後者は関税と内国消費税に分けられるというように、いわば税源ぬきの租税の分類でしたが、スミスは第一篇で地代、利潤、賃銀が社会の本源的収入であり、税をふくめてすべての派生所得はそこに源泉をもつと指摘したことに対応して、ここ第五篇では、その三つの収入にかける（厳密にいえば「かけようとする」）三税をまずとりあげ、最後にすべての収入に無差別に「かけようとする」税を問題とするのです。「かけようとする」というのは、それを意図し、またはは意図するかにみえても、そこに税源を見出すことのできない賃銀税や利潤税のような転嫁する税のあることを考慮しての表現でしょう。

「すべての収入に無差別にかける」ということばには、消費者が消費者である前に地主であり資本家であり労働者であること、そして「無差別」といいながら、そうした個々の「収入」の税源としての資格の有無はすでに点検ずみであること、したがってこの税の是非を問う際にも右の税源論を生かさなくてはならないことが暗示されているのです。

さて、無差別にかける税には人頭税と消費財にかける税の二つがあり、スミスは大きくこの両者に分けて考察していますが、前者を次項でのべ、後者はあとの、いくつかの項で説明することにします。

▼人　頭　税

人頭税は財産や収入に比例させようとすれば、恣意的なものとなります。人の資産状態は毎日変動するので、税額の査定は容易でないし、多くのばあい査定官のご機嫌にもよるのですから、まったく恣意的で不確定とならざるをえないのです。また、もしも人頭税を納税者の推定財産にではなく、その身分に比例させると、まったく不公平になります。身分が同一でも財産の大きさはしばしば異なるからです。

人頭税は公平を旨とすれば、まったく恣意的で不確定となり、確定的で恣意的でないものを期しますと、まったく不公平なものになります。

人頭税は、人民の下層階級に課税されるかぎりでは、労働賃銀への直接税であって、こうした税の不都合な点をすべて備えています。しかし、この税は徴収費がほとんど必要でなく、厳格にとりたてると確実な収入であるために、下層階級の楽しみや安全に配慮しない国々では広汎に採用されています。けれども、大帝国ではこの税による国家収入は全体のなかの一小部分であるうえに、かつてこの税が提供した最大額を徴収するにしても人民にとってはこれよりはるかに都合のよい方法がほかにあるでしょう。

どんな人頭税でも、人民の収入に比例して課税することは不可能ですから、消費財にかける税がかんがえだされたようです。臣民の収入に直接に比例して課税する方法を知らないとき、その支出に課税することで間接的に収入に課税しようと努めます。その際、支出は収入にほぼ比例すると想定されています。

▼必需品への消費税

消費財には必需品と奢侈品があります。前者は生活を維持するために必要不可欠の財貨のみでなく、その国の習慣から、たとえ最下層の人たちでもそれがなくてはまともな人間としては見苦しいようなものをも含んでいます。ヨーロッパの大部分で必需品である亜麻布のシャツとかイングランドの必需品ともいえる革靴とかは、前者はギリシャ人やローマ人の知らぬところですし、後者はスコットランドの女性や全フランスにとっては必需品ではないのですが、時代により国により必需品となるのです。

すでにのべたように、労働の賃銀は労働需要と生活資料の必需品目の平均価格によってきまるのですから、この平均価格を引き上げるものはすべて賃銀を騰貴させます。必需品税も同様でしょう。そうすると、これは賃銀税とまったくおなじで、税は製造業者に転嫁し、やがて価格の上昇を通じて消費者に再転嫁することになりますし、それが農業の場合には農業者を介して終局的には地主の地代にかかることになるのです。

また必需品の平均価格が課税のために上昇しても、賃銀の騰貴による補塡がないかぎり、貧民が多数の家族を扶養する能力や有用な労働への需要にこたえる能力が切り下げられてしまいます。

ですから大ブリテンでは、生活必需品への税は、主として塩、鞣皮、石鹼と蠟燭の四商品のみにかけられるのです。しかし他の国ではこの税は大ブリテンよりずっと高く種類も多いので、例えばオランダでは必需品税が労働の価格を高めてその製造業の大部分をつぶしてしまったといわれています。

▼奢侈品への消費税

奢侈品にかける消費税は、それが貧民の消費する奢侈品であっても右の事情は異なり、商品の価格は上昇しても賃銀は騰貴しないでしょう。煙草は富者にも貧乏人にも奢侈品ですが、労働の賃銀にはなんらの影響もありません。イングランドやオランダの茶や砂糖、スペインのチョコレート、大ブリテンの蒸溜酒など、これらにかける税が賃銀を騰貴させたことはないのです。

さらにこうした奢侈品の価格が高くても、下層階級の人たちが家族を扶養する能力を切りさげることにもなりません。奢侈品税は奢侈禁止法の効果もあるので、かれらは手軽に入手できない余計なものは手控えもしますから、むしろ、この倹約の結果は家族を扶養する能力を高めることにもなります。

この奢侈禁止の理由づけは、スミスの議論として筋がとおるのですが、奢侈品税は貧者がこれを購入しても転嫁しないというのはかれの賃銀論からも首肯できません。それが転嫁しないとするならば、この税にかぎってそこに消転の営為がなされうると考えるか、もしくは貧者もまた奢侈品を買うことのできる収入の余裕部分をもつと考えるほかはないからです。

この関連から想起されることのひとつは、分業が社会の最下層にまで広がる一般的富裕をもたらすという第一篇での認識でしょう。この一般的富裕の中身が必ずしも明確ではないのですが、そこにはギリシャ人の知らない亜麻布をこえて、いくらかの奢侈品が含まれていたのかも知れません。しかし、第一篇の富裕の内容が主に必需品と便宜品であり、ときに娯楽品が加えられたのですが、通常は前二者でした。ところが第五篇になると、にわかに奢侈品の用語がふえ、これへの税を負担する消費者としての貧者や富者が登場したのです。

三つの本源的収入の強調にもかかわらず、終局の税の負担者としての「消費者」があらわれたことは注目すべきことでしょう。抽象的なものと具体的なものとの関係をスミスは未整理なまま提出しているのです。

▼関税と内国消費税

関税は内国消費税よりもはるかに古くからのもので、それが慣行《カスタム》とよばれていることも昔からの慣行的な支払いということを示すのでしょう。関税はもとは商人の利潤に対する税とみなされ、奢侈品にも必需品にも、また輸入品はもちろんですが、輸出品にもかけられていました。しかし重商主義の盛行につれ、輸入を抑え、輸出を優遇することから、輸出の関税は軽減あるいは廃止され、しかも財貨によっては輸出奨励金がつくまでになったのです。

しかし、重商主義が人民大衆の収入にすこぶる有利ではなかったと同様に、それは主権者の収入に対しても、少なくとも関税に依存するかぎりでは、人民の収入よりも有利とはいえません。それは何よりも密輸をひきおこし、むしろ関税収入を減らしてしまうのです。まことスウィフト博士のいうように、関税の算術は二プラス二が四ではなく、ときに一になることを教えています。だから、関税をかける商品の数を少なくして、対象品目を少数のものに限定すれば、公共収入にも損失はなく、外国貿易には大きな利益になる、というのが大方の意見なのです。

重い税は課税された商品の消費を減らしたり、密輸を奨励することになるので、もっと軽い

現在のカコーディ港の税関

税にしたときの収入より少ない収入しか政府に届かないこともしばしばあります。収入の減少が消費の減少の結果であるときの対策は税を軽くすることだけでしょう。収入の減少が密輸を助長したことによるのならば、二つの是正する方法があります。つまり密輸への誘惑を少なくし、あるいは密輸の困難さをふやすこと、前者は税を軽くし、後者は適切な行政制度を設けることです。

内国消費税は国内消費のための国産品にかけられるものですが、すでに指摘した四つの必需品と青色ガラスのほかは、種類もかぎられているうえに、ほとんど奢侈品にかかるので問題はありません。

スミスはこうのべたあと、収入の大きさとしては下層階級の人びとの支出はひとりひとりの額は小さいけれども、その全体の額は上位の階級の消費支出額をはるかに凌ぐものであるから、国産の醱酵酒や蒸溜酒の原料や製品にかける内国消費税は支出に対するさまざまの税のなかでも最高の税収をあげている、といいます。そしてそれはあくまで下層階級への奢侈品税であって必需品税ではなく、後者は賃銀の騰貴ないしは労働需要の減退をもたらし、ひいては上層階級への負担となっておおいかぶさる、とくりかえして警告するのです。

奢侈品にかける関税と内国消費税の長所は、租税原則のうち、はじめの三原則に合致していることでしょう。たしかにそれは各人の収入に対して比例するのでなく、かれらの気質に応じて貢納するので、浪費家は多く、倹約家はすくなく納めることにはなりますが、こうした不公平は、その課税商品を消費するもしないも各人の自由意思によることで、十分に償われているのです。また、その税は確定的だし、納期や方法も便宜にかなっています。しかし、第四原則には反しており、多大の徴収費を必要とし、ある産業部門をなんらか妨害し、密輸への誘惑と密輸業者の破滅をもたらし、商人は不愉快な検査の圧制と迷惑をこうむることでしょう。

▼苛酷な徴税請負制度

消費税の徴収には、国の行政機関が徴収する方法と、国が税の徴収を請負にだす方法との二つがあります。しかし後者は第四原則にもっとも反するもののひとつでしょう。徴税請負人は、請負料金、税吏の給料、管理のための全経費を支払うのに必要な費用のほか、少なくとも自分が投じた前払い、自分の冒す危険、自分の手間、さらにこうした複雑な仕事をおこなうのに必要な知識と熟練に比例した一定の利潤を、税収のなかからつねに控除するにちがいないからです。

税の支払いを回避する企てならなんでも処罰する法律は徴税請負人には当然のことなのですが、それは自分の臣民でない納税者に慈悲をかけることもいらないし、納税者が破産しても請負期限の翌日であればそれでよいというわけです。さらにわるいことには、国家の危急存亡のとき、主権者が国家収入の徴収にもっとも気を配るばあいに、かれらは現行法よりもっと厳格な法律がないと通例の請負料金さえ支払えないと不平をいうので、租税法規はいっそう厳しいものになります。だから、残忍な租税法規をもつのは請負制の国であり、寛容な租税法規は主権者の直接の監督下に徴収される国なのです。どんなに悪しき主権者でも、自分の家族の栄光が自分の臣民の繁栄に依存することは知っているからです。

スミスはこのあと徴税請負制をふくむフランスの税制を批判して財政改革の根本的な必要を説いていますが、叙述は精彩にとみ、フランス革命がおこるべくしておきたことを納得させられてしまうのです。

f 租税についての結論

最良の税は租税四原則に全面的に合致し、転嫁することなく、生産または耕作にまったく有害でないものです。しかし、おそらく、そういう税は皆無ですから、最良に近いものとして選ばれたのが、地代税と奢侈品税です。地代税には、㈠ 一定基準で課税する方法、㈡ 変動する支払地代に応じる方法、㈢ 土地の生産物に課税するもの、の三つがありますが、このうち㈢は右の諸原則の多くに抵触するので推奨されません。㈠は租税第一原則に反しているものの、他の三原則には合致しているうえ、耕作にも有利です。㈡は租税第一原則に合致しますが、㈠ほど確定的でもないし、徴収費も余計にかかるかも知れません。それに土地の改良を妨げるという反対論もあります。しかし、スミスはこの反対論には逆手をとって主権者に土地改良の関心をうながすといい、その他の難点は改善の工夫が可能だから決定的なものではない、というのです。結局、㈡をやや理念的に推奨している、というべきでしょう。また広義の地代税のなかにいれている家屋の賃貸料への税は、それが不生産的物件の利用に対する税であるために、つよく推奨されていますが、なかでも敷地地代税は最適な税のひとつなのです。

奢侈品税は租税第四原則に反していますが、はじめの三つの原則には合致しているとして推奨されます。もっとも奢侈と収入はかならずしも対応しないけれども、奢侈の任意性がこれを相殺するというのです。また、奢侈品のなかに煙草やビールやエールまでふくめて、この税の多収性を揚言したこと、徴税技術の上でビールやエールへの税に代え、麦芽税で代表させるような税制の整理と統合をのべたことは注目すべきことでしょう。

3　公債について

▼商工業の発達と戦争と公債

商業と製造業の未発達な時代には、商工業だけが導入するような高価な奢侈品がまったく知られていないので、巨大な収入をうる者は、第三篇で明らかにしたように、その収入でできるだけ大勢の一族郎党を扶養するほかに使い方も楽しみもないのです。大きな収入とは、多量の生活必需品への支配力だったわけです。しかもこういう支出は自分の身を亡ぼすことはありません。ところが高価な奢侈品にみちあふれた商業国では、主権者は、自国内の大土地所有者とおなじく、収入の大部分をその奢侈品に使い、宮廷を装飾品でかざりたててしまうのです。

平時に節約しないから、戦争になれば借金に頼らざるをえなくなります。いざ戦争というときの国防費は平時の三、四倍です。そのうえ、戦争はその開始の瞬間、いや始まるとおもった瞬間に、軍隊も艦隊も準備ずみでなくてはならないので、課税して一〇ヵ月も一二ヵ月も先に国庫にはいる新税の収入ではどうにもなりません。もはや緊急時には政府にとって借金のほかに財源はないのです。

このばあい、政府に借金を余儀なくさせる商工業の発達が、臣民のなかに貸付の能力と貸付の意思の双方を生みだします。すなわち、商人や製造業者が多数いる国では、資本がつぎつぎに人びとの手を経て流れるのですが、代金の回収が非常に速い取引に従事する商人であれば、年に二度も三度も、また四度もかれの手を通過するのだから、大勢の商人や製造業者たちが活躍する国では厖大な貨幣を政府に貸し付ける能力をそなえた一群の人びとがいることになります。

そうしてかれらが政府に貨幣を貸したからといっても、自分たちの商業や製造業を営む能力を減らすどころか、むしろ能力を増やすといえます。国家の必要に迫られた政府は貸手に有利な条件で借りるので、政府の債務証書は当初の払込額よりも市場で高く売れるというわけで、商人または金持は政府に金を貸してその資本を増やしてゆくのです。

この間の事情を、政府の第二の役割をまじえて、スミスはつぎのように説明します。商業と製造業は、規則的な司法行政のおかげで、人民が自分の財産の所有に不安がないから栄えるのですが、同時にそうした政府の正義に対する信頼があるからこそ、商人たちは安心して金を政府に貸し付けるのであり、さらにその正義への広汎な信頼が政府証書の市場価格を払込額より高くし、かれらの資本を拡大することができるのです。

スミスはかれらが政府の正義を食いものにしているといいたいのでしょう。

▼公債のあゆみ

公債の始まりは特定財源の抵当なしの借金です。大ブリテンの流動債、あるいは一時借入金がそれであり、一部は無利子またはそれに近い債務ですし、一部は利付きの債務で、私人が自分の手形を振り出して借りる債務に似ています。

さらにいっそうの資金を調達すべく、公共収入の特定部門を抵当にして公債を発行したのですが、これには、抵当期間を短期間に限定し、基金としての特定の税収は所定の期間内に元利ともに完済するのに十分であるとの前提にたつものと、右の期間を無期限として、基金は利子だけを払うことでよいとの想定にたつものとの二つがあり、前者は先借りによる調達、後者は永久公債への借りかえ、かんたんには公債借りかえによる調達とよばれたのでした。

はじめは前者の方法がとられたものの、所定期間内の完済ができず、一七世紀末以来、期限

グラスゴウ大学のアダム・スミス館

の延長が企図され、以後は毎年のようにこの延長と借入金の増額が図られたあと、一七一一年、いくつかの税が先借りの抵当として永久化され、一七一五年にはそうした税がまとめられて統合基金となり、さらに一七一七年にも永久化された税による一般基金が生まれ、それまでは短期の先借りだった租税の大半が永久化されると同時に元利の返済ではなく利子のみの支払いにあてられることになります。

しかもアン女王の治世に市場利子率が低下し、基金からの利払いの支出が節約され、諸税からの収入が支払分を超えたので、この剰余を基盤として減債基金とよばれるものがつくられたのですが、旧債償還を目的とするはずのこの基金が、新規の起債を容易にするのです。

なお、借入方法には、先借りと永久公債への借りかえのほかに、有期年金による借入と終身年金による借入がありますが、とくにフランスでは後者がさかんです。

▼公債の累積

近代の政府では平時の経常費はその経常収入にひとしいか、ほぼ、ひとしいといえますが、戦争がはじまると政府は出費の増加にあわせて収入を増加させることをいやがるし、またできもしないでしょう。いやがるのは、突然の増税で人民の感情を害して戦争がいやになるのがこわいからですし、できないというのは、どんな租税であれば必要な収入をまかなうことができるかが、わからないからです。

ところが借入なら容易ですから、これにとびつくことになります。借入をすれば、政府はわずかな増税だけで十分な戦争資金を調達できるし、永久公債への借りかえによるなら、いっそう、最小限の増税で最大の資金を調達できるということです。だから、大帝国では、戦場からはなれた地方に住む人びとのうちには、戦争の不便ではなしに戦争の栄光をたのしみ、平和の回復に不満な連中さえあらわれる始末なのです。

そのうえ、たとえ平和が訪れても戦時中の税の負担が取り除かれるのではありません。そうした税は戦争遂行のために起債された公債の利払いのための抵当にはいっているでしょうし、また、もしも旧来の収入と新税とで、公債の利子の支払いと政府の経常費を支出して、剰余がでれば、それは減債基金に繰り入れられるでしょう。しかし第一に、この減債基金は戦時中の公債すべてを償還するのには不十分でありますし、むしろ第二に、この基金はいつも他の目的に流用されるのがおちでした。

平時でも臨時費が必要になるのですが、政府は新税をかけるよりも減債基金の流用でこれをまかなおうとします。新税はとかく人民を刺激し不満の種になりますが、公債の償還は一時停止しても不平はすくないからです。減債基金の流用は目前の困難を避けるにはいつでも簡便な方策になるでしょう。こうのべたあと、スミスは、かれらしい表現でつぎのようにいいます。「公債が累積すればするほど、また、それを減少させる工夫がいよいよ必要になればなるほど、さらに減債基金の一部でもこれを流用することがますます危険で破滅的になればなるほど、公債を大きく減少させる見込はいっそう少なくなり、逆に、平時に生じるいっさいの臨時費をまかなうために減債基金が流用される見込はますますつよく、ますます確実になる」。

大ブリテンでは、永久公債への借りかえがなされて以来、平時の公債減少額は戦時の累積の大きさに比較すると、じつに小さいものだったから、戦争のつど、公債の累積は巨額のものとなり、一六九七年一二月に二、一五一万五、七四二ポンド一三シリング八ペンス二分の一であった公債の規模は、一七七五年一月には永久公債が一億二、四九九万六、〇八六ポンド一シリング六ペンス四分の一、それに一時借入金が四一五万二三六ポンド三シリング一一ペンス八分の七、合計一億二、九一四万六、三二二ポンド五シリング六ペンスに達するだけでなく、莫大な王室費の債務も未払いのままなのです。そしてつづけて「しかもわれわれは、いままた、新しい戦争にはいりこみ、その進展につれて、これまでの戦争のいずれに劣らず高価なものにつくことがわかるであろう」と予言するスミスは、一七八四年の第三版でここに注記し、この戦争が過去のどの戦争よりも金がかかり、一億ポンドを超える追加の公債を背負いこんだと指摘したのです。『国富論』が、公債批判の名のもとに、同時進行中の対アメリカ戦争批判を試みた書であることを、最終のコーダとともに確認しておきたいところです。

▼資本を食いつぶす公債

公債が追加的な資本である、との説がありますが、とんでもないまちがいです。政府に貸し付けた資本はその瞬間から、資本として機能するものから収入として機能するものへ、つまり生産的労働者を維持するものから不生産的労働者を維持するものへと振りかえられた年々の生産物の一部であり、将来に再生産される望みもなく、その年に浪費されることになったものです。もっとも、貸し付けた人は公債を手中にして他人の資本を借りたり、自分の営業を拡大することもできますが、その他人の資本も生産的労働を維持するものとしてすでに同一国内にあったのにちがいないのです。新資本にみえたものは既存のものを他の用途に振りむけた資本であるにすぎません。

ここで租税と比べてみましょう。租税は個人の収入のある部分が、ある種の不生産的労働の維持から他の種類の不生産的労働の維持に振りかえられたものです。たしかに税金のある部分は、それがなければ、蓄積されて資本となり生産的労働を維持したかも知れぬものですが、しかし大半は不生産的労働を維持することにむけられたことでしょう（税源を地主の地代と消費者の奢侈的剰余に帰したことを想起してください）。このばあい、公共経費が資本のいっそうの蓄積を多少とも妨害するとはいうものの、現存する資本を食いつぶすのではありません。ところが公債は既存の資本を食いつぶし、生産的労働を維持する資金を不生産的労働を維持する資金に振りむけてしまうのです。

さらに公債の累積は租税負担を平時でもいちじるしく重くし、人民の蓄積能力をそこない、収入源泉を衰微させ、やがて土地はなおざりにされ、資本は浪費されるか、国外へ逃避することになります。

▼公債償却と植民地問題

公債による国の破滅はなんとしても防がなくてはなりません。その租税制度が他国よりすぐれているとしても、永久公債への借りかえを慣行化してしまった大ブリテンの過重な負担を支えきれるわけではないからです。

過去の歴史では、公債で財政が破綻すると、多くの国は鋳貨名称の引上げや悪鋳で「解決」したのですが、これは背信的な詐欺であり、実質的には国家の破産ともいえるものです。こうした詐欺におちいらず、公債償却の正道はないか、とスミスは問い、次の二つにひとつを選ぶしか方法はない、すなわち公共収入をいちじるしく増加させるか、でなければ、公共経費をおなじくらいにいちじるしく減少させるか、の二者択一だというわけです。

そうして前者のためには大ブリテン内部だけの税制改革ではまにあわず、大ブリテン系の国国を帝国のなかに包含して同一の税制を適用し、かれらに応分の負担をさせることだとスミスはいい、後者の実現には、反対に、そうした国々を大ブリテンから分離し、それらの国々を防衛する巨額の軍事費負担を節減することが必須だというのです。

これはかんたんにいえば、植民地の合邦か、でなければ分離か、という当時の政治問題であり、また軍事問題であった対アメリカ戦争を、大ブリテンの側からみた財政収支上の経済計算に還元して賢明な判断を朝野にもとめたもので、もちろん第四篇第七章に対応するのですが、『国富論』のコーダにふさわしい見事な息の長い文節がつづきます。ここではさいごの部分のみを紹介してみましょう。「大英帝国のどの領土にしても、帝国全体を維持するために貢献させられないのならば、いまこそ大ブリテンは戦時にこれらの領土を防衛する経費、平時にその政治的・軍事的施設を維持する経費からみずからを解放し、未来への展望と構図とを、その国情の真実の中庸に合致させるようにつとめるときなのである」。

これは政治経済学の書『国富論』のじつにあざやかな幕切れです。出版されたのは一七七六年三月九日。数えて四ヵ月後にアメリカの独立宣言がだされます。世界のスミシアンのなかで、自国の革命的誕生と『国富論』の革命的な出版とを同時に頌することのできるのはアメリカ人だけですから、出版二〇〇年記念の日、一九七六年三月九日の『ニューヨーク・タイムズ』が「アダム・スミスは経済学の七六年革命をみちびいた」と題する評論をかかげたのは驚くにあたりません。しかし、おなじ七六年のペインの『コモン・センス』やプライスの『市民的自由』に対比して、『国富論』が「便宜」の問題に終始したことも忘れられてはならないことでしょう。

アダム・スミスの生涯

（F）はフランスでの刊行書

一七二三年	カコーディに生まれる
一七二六年	スウィフト『ガリヴァー旅行記』
一七二八年	マンデヴィル『蜂の寓話』全二巻完結（一四年〜）
一七三三年	ヴォルテール『哲学書簡』（F）
一七三七年	グラスゴウ大学入学（〜四〇年）
一七三九年	ヒューム『人性論』（〜四〇年）
一七四〇年	オックスフォード大学入学（〜四六年）
一七四五年	スコットランドでジャコバイトの乱おこる（〜四六年）
一七四八年	このころ『天文学史』（草稿）を執筆 ジャコバイトの詩人ハミルトンの詩集を編集・刊行する エヂンバラで公開講義をはじめる（〜五〇年） モンテスキュー『法の精神』（F）
一七四九年	ビュフォン『博物誌』（F）
一七五一年	母校グラスゴウ大学の論理学教授に就任 ディドロ・ダランベール編『百科全書』（F）（〜七二年）
一七五二年	道徳哲学教授に転ずる ヒューム『政治論集』
一七五四年	ヒューム『イングランド史』（〜七三年）
一七五五年	ハチスン『道徳哲学体系』（遺稿） ルソー『人間不平等起源論』（F）
一七五六年	『エヂンバラ評論』誌へ寄稿 七年戦争はじまる（〜六三年）
一七五八年	大学内にワットの仕事場が与えられる ケネー「経済表」の「原表」（F）
一七五九年	『道徳情操論』刊行 ロバートソン『スコットランド史』
一七六二年	グラスゴウ大学副総長となる。 『法学講義』（学生のノート）・『修辞学・文学講義』（学生のノート） ルソー『社会契約論』・『エミール』（F）
一七六三年	このころ『国富論草稿』執筆

	七年戦争終わる
一七六四年	大学を辞任し、バックルー侯の私教師として渡仏（〜六六年）
一七六五年	ワット、蒸気機関の改良
一七六六年	チュルゴー『富の形成と分配』（F）
一七六七年	カコーディに帰郷
	スチュアート『政治経済学原理』
	ファーガスン『市民社会史』
	ケネー「経済表」の「範式」（F）
一七七一年	ミラー『社会における階級区分について』
一七七三年	『国富論』出版のためロンドンに向かう
一七七五年	アメリカ独立戦争おこる（〜八三年）
一七七六年	三月『国富論』刊行
	ペイン『コモン・センス』
	プライス『市民的自由』
	アメリカ独立宣言
一七七七年	スコットランド税関委員に就任し、エヂンバラに定住
	アンダースン『穀物条例の性質に関する一研究』
一七八四年	『国富論』第三版（改訂増補）
	母死す
一七八九年	ベンサム『道徳および立法の諸原理序説』
	フランス革命はじまる
一七九〇年	『道徳情操論』第六版（大幅な改訂増補）
	七月一七日死す
一七九五年	『哲学論文集』（遺稿）刊行される

参考文献

▼スミスの著作にふれるために（邦訳のみ）
大内兵衛・松川七郎訳『諸国民の富』岩波書店（二巻本およぴ岩波文庫）。

大河内一男監訳『国富論』中央公論社。

水田洋訳『国富論』河出書房。

竹内謙二訳『国富論』東京大学出版会。

米林富男訳『道徳情操論』未来社。

水田洋訳『道徳感情論』筑摩書房。

宇山直亮訳『修辞学・文学講義』未来社。

高島善哉・水田洋訳『グラスゴウ大学講義』日本評論社。

水田洋訳『国富論草稿』日本評論社。

大道安次郎訳『国富論草稿その他』創元社。
▼より進んで学ぶために（戦後の邦語文献に限定して）
遊部久蔵『労働価値論史研究』世界書院、一九六四年。

大道安次郎『スミス経済学の系譜』実業之日本社、一九四七年。

藤塚知義『アダム・スミス革命』東京大学出版会、増補版一九七三年。

船越経三『アダム・スミスの世界』東洋経済新報社、一九七三年。

羽鳥卓也『古典派経済学の基本問題』未来社、一九七二年。

ホランダー・S『アダム・スミスの経済学』小林昇監修・邦訳、東洋経済新報社、一九七六年。

星野彰男『アダム・スミスの思想像』新評論、一九七六年。

経済学史学会編『国富論の成立』岩波書店、一九七六年。

小林昇『国富論体系の成立』未来社、一九七三年。

小林昇『小林昇経済学史著作集』Ⅰ・Ⅱ、未来社、一九七六年、所収の諸著作。

マクフィー・A・L『社会における個人』舟橋喜恵・天羽康夫・水田洋訳、ミネルヴァ書房、一九七二年。

ミーク・R『労働価値論史研究』水田洋・宮本義男訳、日本評論社、一九五七年。

水田洋『アダム・スミス研究』未来社、一九六八年。

岡田純一『アダム・スミス』日本経済新聞社、一九七七年。

大河内一男『スミスとリスト』（『大河内一男著作集』第三巻、青林書院新社、一九六九年、所収）。

参考文献

大河内一男編『国富論研究』I〜III、筑摩書房、一九七二年。

レイ・J『アダム・スミス伝』大内兵衛・大内節子訳、岩波書店、一九七二年。

スキナー・A『アダム・スミス社会科学体系序説』川島信義・小柳公洋・関源太郎訳、未来社、一九七七年。

杉山忠平編『アダム・スミス』平凡社、一九七六年。

高島善哉『アダム・スミスの市民社会体系』岩波書店、一九七四年。

高島善哉『アダム・スミス』岩波書店、一九六八年。

高島善哉『原典解説・スミス国富論』春秋社、一九六四年。

高島善哉・水田洋・和田重司・田中正司・星野彰男・伊坂市助『アダム・スミスと現代』同文舘、一九七七年。

内田義彦『経済学の生誕』未来社、増補版一九六二年。

内田義彦『経済学史講義』未来社、一九六一年。

和田重司『アダム・スミスの政治経済学』ミネルヴァ書房、一九七七年。

索　　引

人名索引

事項索引

索　引

た　行

索　引

●著者紹介

星《ほし》野《の》彰《あき》男《お》

1935年広島市に生まれる。1960年一橋大学社会学部を卒業し，現在は関東学院大学経済学部教授。著作は『アダム・スミスの思想像』など。

和《わ》田《だ》重《しげ》司《し》

1933年熊本県に生まれる。1956年一橋大学経済学部を卒業し，現在は中央大学経済学部教授。著作は『アダム・スミスの政治経済学』など。

山《やま》崎《ざき》怜《さとし》

1930年高松市に生まれる。1953年香川大学経済学部を卒業し，現在は香川大学経済学部教授。著作は「アダム・スミスと国家」など。

有斐閣新書　　**スミス国富論入門**

1977年11月20日　初版第1刷印刷
1977年11月30日　初版第1刷発行 ©

著　者　星　野　彰　男
　　　　和　田　重　司
　　　　山　崎　怜

発行者　江　草　忠　允

発行所　株式会社　有　斐　閣
〒101 東京都千代田区神田神保町 2-17
電話 (03) 264-1311　振替 東京 6-370
京都支店〔606〕左京区田中門前町 44

落丁本・乱丁本はお取替えいたします　　精興社印刷・稲村製本

★定価はカバーに表示してあります

《有斐閣新書》の刊行に際して

今日ほど教育の問題が関心を集めた時代がかつてあったでしょうか。戦後の教育改革からすでに三十年、昨今の高校・大学進学率ひとつをとってみても、そのはげしい変化には驚くべきものがあります。これらの変化は高度経済成長がもたらした「消費革命」とはまったく質を異にする新しい時代の到来を感じさせます。それは一種の「意識革命」というべきものかも知れません。このような時代のなかで、きわめて多数の人びとが、主体的にあるいは創造的に「学び」かつ「知る」という欲求を強くもちはじめています。大学をはじめとするさまざまな学校、社会生活に根づいた職場や地域で、多種多様な講座がもたれるようになりました。現代が「開かれた大学の時代」とか「生涯教育の時代」とよばれるゆえんであります。

小社は、これまで《有斐閣双書》《有斐閣選書》をはじめとする出版活動をとおして、社会科学・人文科学の諸分野にわたる専門知識を広く社会に提供する努力をつづけてまいりましたが、このたび「専門知識を万人に」の願いをこめて、新しい時代にふさわしい出版企画《有斐閣新書》を、創業百周年記念出版のひとつとして発足させることにいたしました。

《有斐閣新書》は、現代人の多様な知的欲求に応えようとするものであり、小社が永年培ってきた学術出版の伝統を生かした新しいタイプの基本図書であります。この点で、本新書は、これまでの一般教養向きの新書とはまったく性格の異なる出版企画であり、現代における学術知識の普及への新しい使命をになうものと言えましょう。

《有斐閣新書》は、新書判というハンディな判型の中で最新の学問成果を平明に解説し、必要にして十分な内容を収めるとともに、古典の再発見に努めるなど、現代に生きるすべての人びとにとって、学問の扉をひらく際のよきガイドブックとなることを意図しております。読者のみなさまの一層のご支援をお願いしてやみません。

（昭和五十一年十一月）

スミス国富論入門（オンデマンド版）

2003年8月29日　発行

著　者　　星野彰男・和田重司・山崎怜

発行者　　江草　忠敬

発行所　　株式会社 有斐閣
〒101-0051　東京都千代田区神田神保町2-17
TEL 03(3264)1315（編集）　03(3265)6811（営業）
URL http://www.yuhikaku.co.jp/

印刷・製本　　株式会社　デジタルパブリッシングサービス
URL http://www.d-pub.co.jp/

AB412

ISBN4-641-90346-8　　Printed in Japan